Kinderatlas
Geschichte

Schwager & Steinlein

Originalausgabe

© Schwager & Steinlein Verlag GmbH

Emil-Hoffmann-Straße 1, D-50996 Köln

Text: Dr. Elisabeth Blakert (S. 10-25); Dr. Anuschka Albertz (S. 8, 26-41)

Illustrationen von Oliver Bieber

Satz: x-six-agency GmbH

Gesamtherstellung: Schwager & Steinlein Verlag GmbH

www.schwager-steinlein-verlag.de

Art. Nr. 13088

ISBN 978-3-86775-088-2

Inhalt

Dein Geschichtsatlas

Dieser Atlas zeigt dir die Geschichte der Menschen zu unterschiedlichen Zeiten und in verschiedenen Ländern. Jede Karte behandelt eine andere Zeit, von den ersten Menschen in der Steinzeit bis heute. Du kannst auf ihnen sehen, wie sich das Leben der Menschen gewandelt hat. Auch die Länder auf den Landkarten haben sich verändert. Deutschland oder Italien hatten früher ganz andere Grenzen als heute. Wie die Welt heute aussieht, ist also das Ergebnis ihrer langen Geschichte.

Hat die Geschichte einen Anfang?

Man kann sagen: Solange es Menschen gibt, gibt es Geschichte. Aber über den Anfang der Menschheit wissen wir wenig. Und das Ende kennen wir noch nicht. Es gibt auch andere Formen von Geschichte, zum Beispiel die Geschichte der Dinosaurier. Als sie vor 65 Millionen Jahren ausstarben, lebten noch keine Menschen auf der Erde.

Es ist lange her

Du weißt, dass deine Eltern und deine Großeltern auch einmal Kinder waren. Du warst nicht dabei, aber du weißt es trotzdem. Es ist lange her. Die Zeit, in der deine Eltern jung waren, ist für dich bereits Geschichte. Du kannst sie danach fragen und dir alte Fotos ansehen. Vielleicht können dir auch noch deine Großeltern erzählen, wie es früher war.

Vor und nach Christus

Wir teilen die Geschichte in eine Zeit vor Christi Geburt (abgekürzt v. Chr.) und nach Christi Geburt. Die Abkürzung n. Chr. lässt man aber meistens weg. Als Geburtsjahr von Christus gilt das Jahr Null. Vorher werden die Jahre absteigend gezählt, danach ganz normal aufsteigend.

Jahrhunderte zählen

Für große historische Entwicklungen reden Historiker von Jahrhunderten. Sie sagen: „Im 19. Jahrhundert fand in Europa die Industrielle Revolution statt", und meinen damit die Zeit zwischen 1800 und 1899.

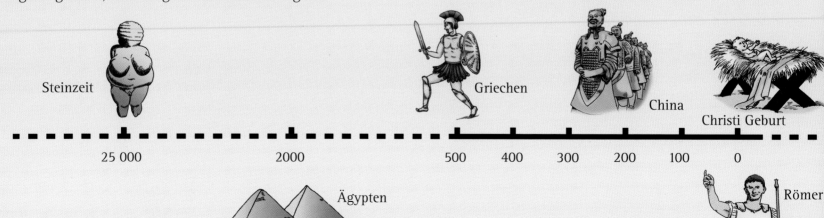

Steinzeit   Griechen   China   Christi Geburt

25 000   2000   500   400   300   200   100   0

Ägypten   Römer

Wie wir von der Vergangenheit wissen

Ganz unterschiedliche Papiere geben Auskunft über die Vergangenheit: alte Briefe und Fotos, Akten von Regierungen, Urkunden, Zeitungen und alte Geschichtsbücher. Auch Gebäude, Gemälde oder alte Werkzeuge können vom Leben früher berichten. Historiker sprechen von „Quellen". Manche Quellen wurden absichtlich aufgeschrieben, damit die Erinnerung an wichtige Ereignisse bewahrt bleibt. Andere sind nur zufällig erhalten geblieben.

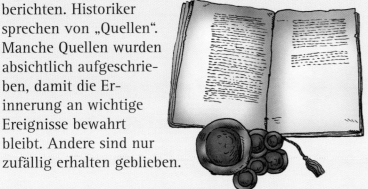

Detektive der Vergangenheit

Menschen, die die Geschichte erforschen, nennt man Historiker. Wie Detektive tragen sie viele verschiedene Spuren und Beweise zusammen, um sich ein möglichst genaues Bild von einer historischen Person oder einem vergangenen Ereignis zu machen. Manchmal können sie noch Zeugen befragen. Aber meistens müssen sie hinterlassene Papiere lesen.

Achtung, Fälschung!

Historiker dürfen nicht alles glauben, was sie lesen. Menschen wollen oft nicht, dass die Wahrheit ans Licht kommt, und hinterlassen gefälschte Erinnerungen. Manchmal schwindeln sie auch nicht absichtlich, sondern weil sie es nicht besser wissen.

Spezialisten gefragt

Um die Geschichte zu erforschen, brauchen Historiker viel Wissen. Ein Ägyptenforscher muss die ägyptischen Schriftzeichen lesen können. Wer übers Mittelalter forscht, muss gut Latein können. Ein Wirtschaftshistoriker muss wissen, wann mit welchem Geld bezahlt wurde und wie viel es wert war. Die meisten Historiker forschen nur über eine bestimmte Zeit, in der sie sich dann sehr gut auskennen.

Könige haben Nummern

Kaiser und Könige aus einer Familie hatten oft denselben Namen. Um sie besser auseinanderhalten zu können, sind sie nummeriert. Man sagt „Ludwig, der Vierzehnte", schreibt aber mit römischen Zahlen „Ludwig XIV." Die römischen Zahlen kannst du hinten im Atlas nachsehen.

So findest du was

Wenn du nach einer bestimmten Person, einem Ort oder einem Ereignis suchst, das du schon kennst, kannst du hinten im Stichwortverzeichnis nachsehen. Die Zahlen hinter dem Eintrag geben die Seite an, auf der du die Information findest.

Wikinger

Entdeckungen

Französische Revolution

Zweiter Weltkrieg

| 900 | 1000 | 1100 | 1200 | 1300 | 1400 | 1500 | 1600 | 1700 | 1800 | 1900 | 2000 | Heute |

Mittelalter

Reformation

Industrielle Revolution

9

Die Steinzeit

Lange Zeit waren während der Steinzeit, die über zwei Millionen Jahre dauerte, viele Gebiete auf der Nordhalbkugel von Eismassen bedeckt. Die Menschen zogen umher und ernährten sich von dem, was sie jagten oder sammelten. Aus Stein bauten sie sich Werkzeuge und Waffen. Als es am Ende der Steinzeit wärmer wurde, wurden die Menschen sesshaft. Sie bauten Häuser und wurden Bauern.

Stammen wir von den Neandertalern ab?

Bevor der heutige Mensch entstand, gab es verschiedene Urmenschen-Arten. Der bekannteste Urmensch ist der Neandertaler. Die ersten Knochen dieser Menschenart fand man im Neandertal bei Düsseldorf. Der Neandertaler war aber in ganz Europa verbreitet. Er zog als Jäger umher und war schon in der Lage, kunstvolle Waffen und Werkzeuge herzustellen.

Konnten Höhlenmenschen sprechen?

Als die Menschen noch Nomaden waren, suchten sie Unterschlupf in Höhlen oder Hütten. Untersuchungen ihrer Knochen haben ergeben, dass die Urmenschen wahrscheinlich schon in der Lage waren, zu sprechen. Worüber sie sprachen, können wir aus den Höhlenmalereien schließen, die Auskunft über Alltag und Religion der Steinzeitmenschen geben.

10

Amesbury

Ahl

Neandertal

Blieskastel

Carnac

Unteruhldingen

Lascaux

Cro-Magnon

Santillana del Mar

Steinernes Geheimnis

Überall in Europa fand man seltsame Bauwerke, die die Steinzeitmenschen aus riesigen Felsblöcken errichtet hatten. Das berühmteste dieser Bauwerke sind die Steinkreise von Stonehenge in England, die wahrscheinlich als religiöse Kultstätte dienten. Andere Felsblöcke türmte man zu Hünengräbern auf.

Mord in den Alpen

1991 wurde in den Ötztaler Alpen eine durch das Gletschereis sehr gut erhaltene Mumie eines Steinzeitmenschen gefunden. Der Ötzi, so wird die Mumie genannt, wurde wohl überfallen und durch einen Pfeilschuss getötet. Durch diesen Fund weiß man heute sehr viel über Kleidung, Ausrüstung und Ernährung des Steinzeitjägers.

Goseck

Steinheim

Siegsdorf

Asselfingen

Ötztaler Alpen

Mixnitz

Willendorf

Dolní-Věstonice

Woran starb der Ötzi?

1 Steinkreise von Stonehenge bei Amesbury

2 In Carnac stehen über 3000 Felsblöcke, deren genaue Bedeutung noch unklar ist.

3 Der Gollenstein bei Blieskastel ist der größte steinzeitliche Felsblock in Mitteleuropa.

4 Der Neandertaler lebte in der Zeit von 220 000 bis 30 000 v. Chr.

5 In Ahlen wurde das einzige komplette Mammutskelett in Deutschland gefunden.

6 Das beinahe 7000 Jahre alte Sonnenobservatorium von Goseck gilt als das älteste der Welt.

7 Der Heidelbergmensch lebte in der Zeit von 600 000 bis 200 000 v. Chr.

8 Der bei Asselfingen gefundene Löwenmensch gehört zu den ältesten bekannten Statuen aus der Steinzeit.

9 Der Steinheimer Mensch lebte vor über 250 000 Jahren.

10 In Unteruhldingen wurden Pfahlbautensiedlungen aus der Steinzeit nachgebaut.

11 Bei Siegsdorf wurde das größte Mammutskelett in Europa gefunden.

12 Die Venus von Willendorf ist eine 25 000 Jahre alte, kleine Frauenstatue.

13 In der Drachenhöhle von Mixnitz wurden die Überreste von 30 000 Höhlenbären gefunden.

14 In Dolní-Věstonice wurde ein über 20 000 Jahre altes Lager von Mammutjägern entdeckt.

15 Der Ötzi lebte vor etwa 5000 Jahren.

16 Bei Cro-Magnon wurden Überreste einer Menschenart entdeckt, die vor 35 000 Jahren die Neandertaler verdrängte.

17 Die Höhlenmalereien von Lascaux gehören zu den ältesten Kunstwerken der Welt.

18 In der Höhle von Altamira bei Santillana del Mar haben sich über 100 Bilder aus der Steinzeit erhalten.

Das Supermarkt-Mammut

Um die riesigen Mammuts zu erlegen, waren mehrere Jäger nötig. Wie ein Supermarkt lieferte das Mammut den Menschen in der Eiszeit alles, was sie brauchten: Fleisch zum essen, Knochen für Waffen und Werkzeuge, Elfenbein für Schmuck und Fell für Kleider. Viele Mammuts wurden in den kalten Böden Sibiriens eingefroren und blieben dadurch sehr gut erhalten.

Die Ägypter

Der Nil war die Lebensader Ägyptens.
Ohne ihn wäre die Entstehung des ägyptischen Reiches inmitten einer Wüstenland-
schaft nicht möglich gewesen. An der
Spitze des Reiches standen die Pharaonen,
die zeitweise sogar als Götter verehrt
wurden. Eindrucksvolles Zeugnis ihrer
Bedeutung sind ihre prächtigen Grab-
stätten, die Pyramiden.

Ein Gott für jede Gelegenheit

In Ägypten kannte man Hunderte von
Göttern, die man sich häufig als Tiere oder
als Menschen mit Tierköpfen vorstellte.
Sie wurden in Tempeln
verehrt, und Priester
dienten ihnen.

Wie viele Pyramiden
stehen in Giseh?

Das Geheimnis der Mumien

Die Ägypter glaubten, dass sie nach dem Tod im
Jenseits weiterleben würden, und zwar in ihrem alten
Körper. Daher wurde der Leichnam mumifiziert, damit
er nach dem Tod nicht zerfiel. Dazu wurden zuerst
das Gehirn, Magen, Leber, Lunge und Darm entfernt.
Danach wurde der Leichnam mit Natron ausgetrocknet,
mit Tüchern und Kräutern gefüllt und dann mit Harz
ausgegossen. Am Schluss wurde der Leichnam noch
mit Tüchern einbandagiert.

12

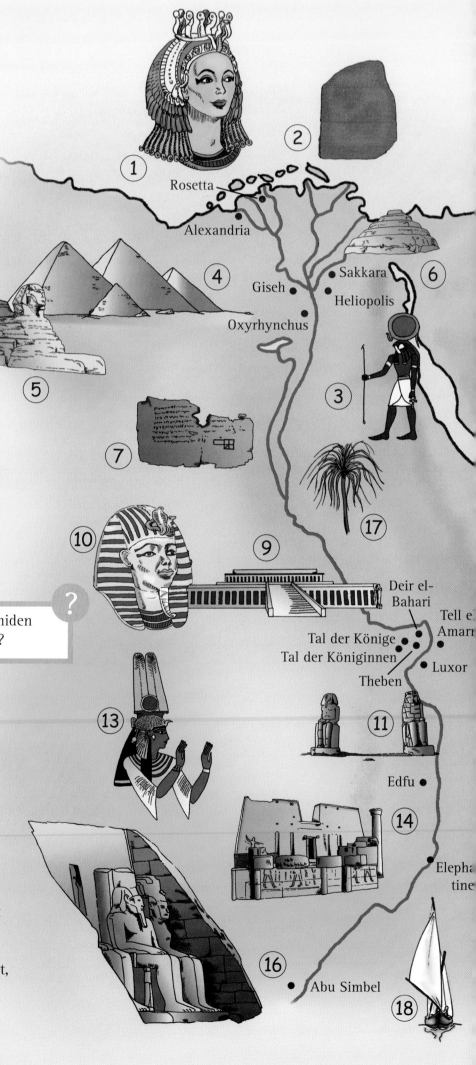

Rosetta

Alexandria

Sakkara

Giseh

Heliopolis

Oxyrhynchus

Deir el-
Bahari

Tell e.
Amarr

Tal der Könige

Tal der Königinnen

Luxor

Theben

Edfu

Elepha
tine

Abu Simbel

1 2 3 4 5 6 7 9 10 11 13 14 16 17 18

Der Fluch des Pharaos

1922 entdeckte der Archäologe Howard Carter das Grab des Pharaos Tutanchamun im Tal der Könige. Dieser Fund war eine Sensation, da die wertvollen Grabbeigaben noch nahezu vollständig vorhanden waren.

Als in den folgenden Jahren einige Teilnehmer von Carters Team starben, sprach man vom Fluch des Pharaos, der sich für die Öffnung seines Grabes rächen wollte. Das ist aber nur eine Legende.

Großbaustelle Pyramide

An den großen Pyramiden bauten Zehntausende von Arbeitern 20 Jahre lang. Trotz der harten Arbeit meldeten sie sich vermutlich sogar freiwillig, um bei diesem großen Projekt zu Ehren des Pharaos mitzuarbeiten. Später wurden die Pharaonen in Felsengräbern bestattet, um die Grabbeigaben vor Grabräubern zu schützen.

1 Kleopatra, die letzte Pharaonin, regierte Ägypten von Alexandria aus. Ihr Leben wurde vielfach beschrieben und verfilmt.

2 Auf dem Stein von Rosetta steht ägyptischer Text mit demotischer und griechischer Übersetzung. So konnten die Hieroglyphen 1822 erstmals entziffert werden.

3 Dem Sonnengott Re geweiht war der Sonnentempel von Heliopolis, das wichtigste Heiligtum der Ägypter.

4 Die neun Pyramiden von Giseh sind die berühmtesten Pyramiden der Welt.

5 Die Sphinx von Giseh ist die Statue eines Löwen mit einem Menschenkopf.

6 Die Stufenpyramide in Sakkara ist die älteste der ägyptischen Pyramiden.

7 In Oxyrhynchus wurden Papyri mit unbekannten Texten antiker und christlicher Autoren gefunden.

8 In Tell el-Amarna wurde die berühmte Büste von Nofretete, der Frau des Pharaos Echnaton, entdeckt.

9 Totentempel der Pharaonin Hatschepsut in Deir el-Bahari.

10 Totenmaske des Pharaos Tutanchamun, die in seinem Grab im Tal der Könige gefunden wurde.

11 Die Memnonkolosse in Theben sind Überreste des Totentempels von Pharao Amenophis III.

12 Nefertari, die Frau des Pharaos Ramses II., wurde wie viele Angehörige der Pharaonen im Tal der Königinnen bestattet.

13 Der Karnak-Tempel in Luxor ist die größte ägyptische Tempelanlage.

14 Der Tempel für den Gott Horus in Edfu ist der am besten erhaltene Tempel Ägyptens.

15 Mit einem Nilometer wurde an vielen Orten der Wasserstand des Nils gemessen, von dem das Ergebnis der jährlichen Ernte abhing.

16 Die beiden Felsentempel in Abu Simbel ließ Pharao Ramses II. bauen, um so den benachbarten Nubiern die Stärke Ägyptens zu zeigen.

17 Die Papyrusstaude wächst entlang des Nils.

18 Mit Segelbooten wurden Bodenschätze und Baustoffe auf dem Nil transportiert.

Alles nur Hieroglyphen?

Schon um 3000 v. Chr. entwickelten die Ägypter eine Bilderschrift, die Hieroglyphen, von der wir etwa 800 Bilder kennen. Da es sehr aufwendig war, Hieroglyphen zu schreiben, verwendeten die Ägypter im Alltag eine vereinfachte Schrift. Aus der Papyruspflanze gewannen sie eine Art Papier, das zum beliebtesten Schreibmaterial der Antike wurde.

13

Die Griechen

In der Antike lebten die Griechen nicht wie heute in einem großen Staat mit einer einzigen Hauptstadt zusammen. Es gab vielmehr lauter kleine Staaten, die häufig nicht größer als ein Dorf waren. Sie regelten das Leben ihrer Bürger. Die Griechen nannten so einen kleinen Staat Polis. Die wichtigsten Poleis waren Athen und Sparta.

Athen - Supermacht

Athens Aufstieg begann mit dem Sieg über die Perser. Nach und nach verbündeten sich immer mehr griechische Städte mit Athen. Mit Ausnahme von Sparta. In einem Krieg, den Sparta gewann, kämpften die beiden Städte um die Macht in Griechenland.

Sparta – Stadt der Geheimnisse

Alles, was wir über Sparta wissen, wissen wir von seinen Erzfeinden, den Athenern. Sie berichteten, dass die spartanischen Jungen mit sieben Jahren ihre Familien verließen und zu Kriegern erzogen wurden. Die Spartaten legten viel Wert auf Disziplin und militärische Härte. Die Athener fanden die Spartaten engstirnig und fantasielos.

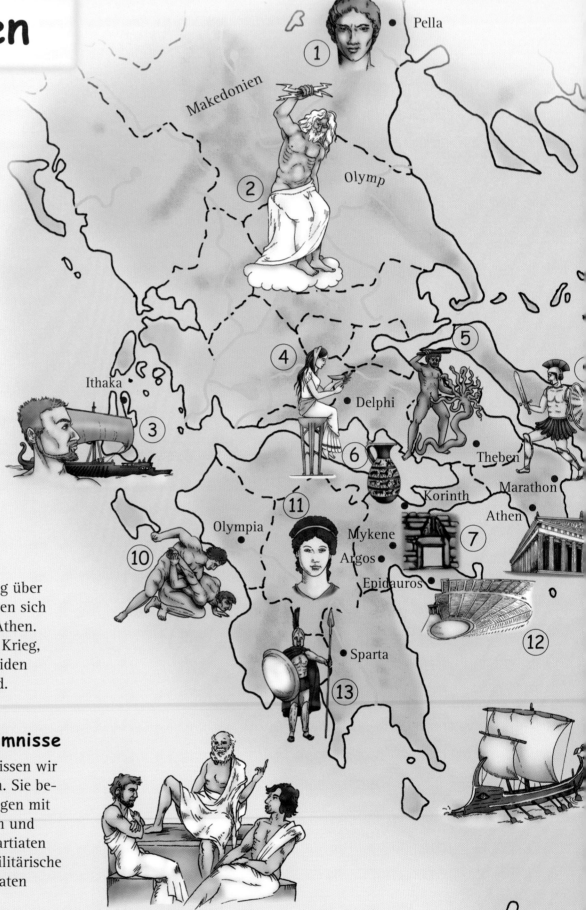

„Ich weiß, dass ich nichts weiß"

Das sagte einer der weisesten Männer Griechenlands, der Philosoph Sokrates. Die Philosophen wollten allen Dingen auf den Grund gehen und stellten dazu zuerst einmal alles infrage. Die Griechen gelten als Begründer der Philosophie in Europa.

14

Gab es Troja wirklich?

Eine der berühmtesten griechischen Sagen ist Homers Geschichte vom Krieg der Griechen gegen Troja. Der Homer-Fan Heinrich Schliemann glaubte, dass es Troja wirklich gab, und suchte die Stadt. Er fand 1873 tatsächlich die Überreste einer Stadt. Man weiß aber bis heute nicht, ob die Stadt wirklich Homers Troja ist.

1 Alexander der Große wurde in Pella geboren.

2 Die Griechen glaubten, dass ihre Götter auf dem höchsten Berg, dem Olymp, lebten.

3 Odysseus, der König von Ithaka, war ein berühmter Held im Trojanischen Krieg.

4 Wer etwas über seine Zukunft wissen wollte, befragte das Orakel von Delphi.

5 Herakles, der aus Theben stammte, galt als der stärkste griechische Sagenheld.

6 Korinth war für die schwarzen Figuren auf seinen Vasen bekannt.

7 Das Löwentor war das Haupttor von Mykene.

8 Auf dem Berg Akropolis standen die wichtigsten Tempel der Athener.

9 Ein Bote soll vom Schlachtfeld bei Marathon nach Athen gelaufen sein, um den Sieg über die Perser zu melden (490 v. Chr.).

10 Die ersten Olympischen Spiele fanden 776 v. Chr. statt.

11 Der Haupttempel für Hera war in Argos. Sie war die Frau des Göttervaters Zeus.

12 Das Theater in Epidauros ist das besterhaltene antike Theater.

13 Spartanischer Krieger

14 Um 1700 v. Chr. entstand in Knossos auf Kreta ein riesiger Palast mit fünf Stockwerken und über 1000 Zimmern.

15 Der Apollon-Tempel auf Delos war das größte Heiligtum der Griechen.

16 Die Griechen versteckten sich in einem Holzpferd und eroberten so Troja.

17 Sappho war die bedeutendste griechische Dichterin. Sie lebte auf der Insel Lesbos.

18 Der Pergamon-Altar zeigt den Kampf der Götter gegen die Giganten.

19 Der Tempel für die Jagdgöttin Artemis in Ephesos zählt zu den sieben Weltwundern.

20 Thales von Milet war ein berühmter Philosoph und Mathematiker.

21 Herodot von Halikarnassos gilt als erster antiker Geschichtsschreiber.

22 Hippokrates von Kos war der berühmteste Arzt der Antike.

23 Der Koloss von Rhodos war eine übergroße Statue des Sonnengottes Helios und gehört zu den sieben Weltwundern.

Troja · Lesbos · Pergamon · Ephesos · Milet · Delos · Halikarnassos · Kos · Rhodos · Knossos

? Welche Bauwerke findest du auf der Karte, die zu den sieben Weltwundern der Antike gehören?

Von Makedonien nach Indien

Die griechischen Städte waren durch verschiedene Kriege stark geschwächt. Daher waren sie eine leichte Beute für Philipp II., den König von Makedonien. Sein Sohn, Alexander der Große, machte aus Makedonien sogar ein Weltreich, das bis nach Indien reichte.

Die Römer

Rom war ursprünglich nur ein kleiner Stadtstaat in Italien. Doch die Römer fühlten sich dazu berufen, andere Staaten zu erobern und zu beherrschen. So errichteten sie im Lauf der Zeit ein riesiges Reich. Aus den eroberten Gebieten wurden römische Provinzen. Um die Provinzen besser verwalten zu können, bauten die Römer Straßen, gründeten Städte und siedelten dort ihre ehemaligen Soldaten an.

Hightech in der Antike

Die Römer waren hervorragende Ingenieure. Sie entwickelten eine Art Beton und bauten daraus Wasserleitungen (Aquädukte) mit mehreren Stockwerken, die das Wasser oberirdisch zu den Menschen transportierten. Mit dem Wasser wurden auch riesige Getreidemühlen angetrieben.

Mit Elefanten gegen Rom

Einige Völker wehrten sich gegen die Römer. Der Feldherr Hannibal aus Karthago in Nordafrika überquerte 218 v. Chr. mit einem großen Heer und 37 Kriegselefanten sogar die Alpen und griff die Römer an. Der germanische Fürst Arminius besiegte die Römer 9 n. Chr. und verhinderte so die Eroberung Germaniens.

Die letzten römischen Städte

Vieles, was wir über das römische Leben wissen, verdanken wir den Ausgrabungen in Pompeji und Herculaneum. Im Jahr 79 n. Chr. wurden beide Städte beim Ausbruch des Vesuvs verschüttet und dadurch konserviert. Pompeji und Herculaneum sind daher die am besten erhaltenen römischen Städte.

Wo wurde der römische Kaiser Trajan geboren?

16

„Kaiser" kommt von Caesar

Die Römer wurden von zwei Konsuln regiert, die das Volk jährlich neu wählte. Niemand sollte zu viel Macht haben. Cäsar wollte die Alleinherrschaft, wurde aber 44 v. Chr. von seinen Gegnern ermordet. Sein Großneffe hatte mehr Erfolg und wurde unter dem Namen Augustus der erste römische Kaiser.

Ein Kampf auf Leben und Tod

Wenn die Gladiatoren auf Leben und Tod gegeneinander oder mit wilden Tieren kämpften, war das für die Römer ein Riesenspektakel. Zuerst wurden Sklaven, Kriegsgefangene oder Verbrecher gezwungen, als Gladiatoren in Arenen wie dem Kolosseum in Rom zu kämpfen. Dann meldeten sich auch Freiwillige, die als Gladiatoren viel Geld verdienen wollten.

Sarmizegetusa

Brindisi

Actium

Ephesus

Bethlehem

Alexandria

1 Hadrianswall, vom römischen Kaiser Hadrian errichteter Grenzwall

2 Römische Badeanlage in Bath

3 Vermutlich bei Kalkriese besiegte Arminius die von Varus geführten römischen Truppen.

4 Limes, Grenzwall des Römischen Reichs

5 Porta Nigra, Stadttor der von den Römern gegründeten Stadt Trier

6 In Regensburg errichteten die Römer ein Legionslager mit etwa 6000 Soldaten.

7 Der Gallier Vercingetorix unterlag bei Alesia den von Cäsar geführten römischen Truppen (52 v. Chr.).

8 Die Orgel aus Aquincum ist das am besten erhaltene antike Instrument.

9 Nach dem Sieg über die Daker erbeutete der römische Kaiser Trajan einen riesigen Goldschatz.

10 Pont du Gard bei Remoulins, größte erhaltene römische Aquäduktbrücke

11 Römisches Amphitheater in Arles

12 Im römischen Zirkus von Tarragona wurden Pferde- und Wagenrennen veranstaltet.

13 Italica war der Geburtsort Trajans, des ersten römischen Kaisers, der aus einer römischen Provinz stammte.

14 Die Brücke in Mérida ist 792 Meter lang und zählt zu den längsten Römerbrücken, die noch erhalten sind.

15 Karthago war die Hauptstadt des karthagischen Reichs und der Geburtsort Hannibals.

16 Kolosseum, größte römische Arena für Gladiatorenkämpfe

17 Via Appia, erste römische Fernstraße

18 Der Vesuvausbruch von 79 n. Chr. zerstörte Pompeji und Herculaneum.

19 Palast des römischen Kaisers Diokletian in Split

20 Cäsars Großneffe, der spätere Kaiser Augustus, besiegte seine Gegner in der Seeschlacht von Actium (31 v. Chr.) und übernahm die Macht in Rom.

21 Ephesus, wo der Apostel Paulus eine christliche Gemeinde gründete, gehörte zur römischen Provinz Asia.

22 Die ägyptische Königin Kleopatra war die Verbündete und Geliebte Cäsars.

23 Bethlehem gehörte zur Zeit von Jesu Geburt zur römischen Provinz Judäa.

▨ Das Römische Reich zur Zeit seiner größten Ausdehnung im 2. Jh. n. Chr.

Das alte China

民事神之義精通
誠至初榮之福乃
筴經傳所載原
本

China wurde beherrscht von mächtigen Familien, den Dynastien, die häufig mehrere Jahrzehnte oder auch Jahrhunderte das Land regierten. Lange vor den Europäern machten die Chinesen viele Erfindungen, die wir heute noch nutzen, wie etwa das Papier oder das Porzellan. Ihre Schrift ist die älteste heute noch gebrauchte Schrift.

Das Geheimnis der chinesischen Schrift

Ursprünglich war die chinesische Schrift eine Bilderschrift: Jedes Zeichen stellte einen Begriff dar. Im Laufe der Zeit entstanden immer mehr Zeichen. Die ältesten chinesischen Schriftzeichen sind über 3000 Jahre alt. Man fand sie auf Orakelknochen und Schildkrötenpanzern, die für Weissagungen verwendet wurden.

Louguan

Die Regeln des Konfuzius

Konfuzius war ein bedeutender chinesischer Philosoph. Er stellte Regeln auf, nach denen die Menschen sich verhalten sollten. Ziel war ein harmonisches Verhältnis der Menschen untereinander. Dazu sollten sie sich achten und ehrlich und anständig leben. Auch viele chinesische Kaiser lebten nach den Lehren des Konfuzius.

Wie lang ist die Chinesische Mauer?

Der Kaiser Qin Shihuangdi begann 214 v. Chr. mit dem Bau einer Mauer, die das chinesische Reich vor räuberischen Nomadenvölkern im Norden schützen sollte. Über Jahrhunderte hinweg verbesserten und verlängerten die chinesischen Kaiser diese Mauer immer wieder, sodass sie eine Länge von über 6000 Kilometern bekam.

Welche chinesische Stadt wird als „Paradies auf Erden" bezeichnet?

Eine Armee aus Terrakotta

Bereits mit 13 Jahren begann Kaiser Qin Shihuangdi mit dem Bau einer riesigen Grabanlage. Um den Grabhügel herum steht eine Armee von über 7000 lebensgroßen Soldaten aus Terrakotta. Sie symbolisiert die Macht des Kaisers. Jeder Soldat sieht anders aus, und viele tragen echte Waffen, um den Kaiser auch im Jenseits zu beschützen.

1 Chinesische Mauer

2 Der große chinesische Philosoph Konfuzius stammte aus Qufu.

3 Sima Qian hat in der Han-Zeit das erste Werk über die chinesische Geschichte geschrieben.

4 Auf Orakelknochen sind die ältesten chinesischen Schriftzeichen zu sehen.

5 Der Baima-Tempel bei Luoyang war der erste buddhistische Tempel Chinas.

6 Ein Bauer entdeckte 1974 auf seinem Feld die ersten Terrakotta-Soldaten. Heute werden immer noch neue Figuren gefunden.

7 Qin (sprich „Chin") Shihuangdi gründete 221 v. Chr. das erste Kaiserreich. Nach ihm wurde das Land China genannt.

8 Der Legende nach soll Lao Zi die Regeln der chinesischen Philosophie des Daoismus in einem Tempel bei Louguantai aufgeschrieben haben.

9 Mit dem Seismoskop kann man Erdbeben messen. Bei Erdbeben fällt eine Kugel aus einem der Drachenmäuler in ein Krötenmaul.

10 Die Stadt Suzhou wird wegen ihrer schönen alten Gärten auch „Paradies auf Erden" genannt.

11 Die Chinesen entdeckten, wie man aus dem Kokon der Seidenraupe den Faden für den kostbaren Stoff gewinnt.

12 Bevorzugtes Transportmittel auf den Handelswegen der Seidenstraße war das Kamel.

13 Bereits im 5. Jahrtausend v. Chr. bauten die Chinesen Reis auf Terrassenfeldern an.

14 Die Chinesen haben das Papier erfunden. Die ältesten Stücke stammen ungefähr von 100 v. Chr.

15 Um ihr riesiges Reich zu verwalten, setzten die Kaiser der Han-Dynastie Beamte ein.

16 Rund 1000 Jahre vor den Europäern konnten Chinesen feines Porzellan herstellen.

17 Die ältesten Münzen hatten die Form eines Spatens oder eines Schwerts. Durch das Loch in der Mitte konnte man sie auffädeln und leicht transportieren.

- Qin-Dynastie 221 v. Chr. - 206 v. Chr.
- Han-Dynastie 206 v. Chr. - 220 n. Chr.
- Handelswege der Seidenstraße

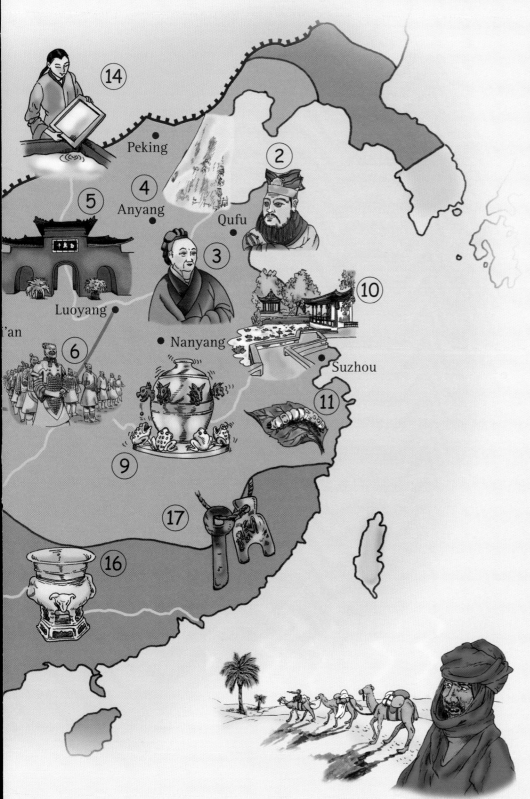

Auf den Spuren der Karawanen

Die Seidenstraße war ein Netz von Handelsstraßen, die China mit dem Mittelmeer verbanden. Zu den Waren, die aus China nach Europa transportiert wurden, gehörte nicht nur Seide, sondern auch Porzellan und Gewürze. Dafür brachten die Händler Gold, Silber und Wein nach China.

Die Wikinger

Die Wikinger lebten ursprünglich in Skandinavien. Sie verließen um 800 ihre Heimat, vermutlich weil es dort nicht mehr genügend Ackerland gab. Sie breiteten sich in ganz Europa aus. Ein Teil von ihnen lebte von Raubzügen und Plünderungen, während andere ihr Geld als Händler verdienten.

Die Zeitungen der Wikinger

Damit sie sich immer an ihre Heldentaten erinnerten, ritzten die Wikinger diese in Steine ein. Dazu verwendeten sie eine besondere Schrift, die Runen. Ansonsten schrieben die Wikinger aber nicht sehr viel. Alle wichtigen Dinge wie etwa Gesetze oder religiöse Vorschriften wurden mündlich weitergegeben.

Gefährliche Drachenschiffe

Die Wikinger waren hervorragende Seeleute. Ihre Schiffe waren leicht und wendig und hatten auch keine Probleme bei geringer Wassertiefe. 30 Ruderer sorgten dafür, dass die Schiffe sehr schnell waren. So konnten die Wikinger jederzeit überraschend an den Ufern der Städte auftauchen, um sie zu plündern.

Wer entdeckte Amerika?

Beinahe 500 Jahre vor Christoph Kolumbus ist bereits der Wikinger Leif Eriksson nach Nordamerika gesegelt. Auf der kanadischen Insel Neufundland wurde die Wikingersiedlung L'Anse aux Meadows entdeckt, die vielleicht von Leif Eriksson und seinen Männern gegründet wurde.

Vom Räuber zum König

Der französische König hatte so viel Angst vor den Wikingern, dass er ihnen freiwillig Land im Norden seines Landes überließ. Nach den Nordmännern heißt dieses Gebiet Normandie. Einer ihrer Herzöge eroberte schließlich England und bestieg dort den Thron. Dieser Kriegszug ist auf dem 70 Meter langen Teppich von Bayeux festgehalten.

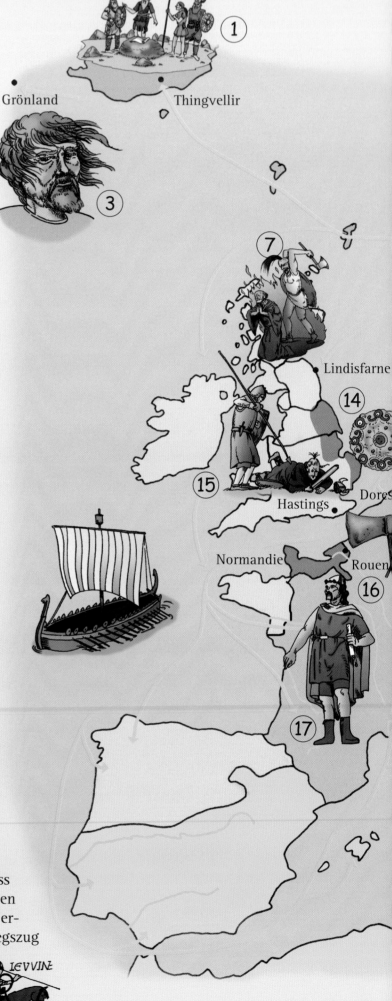

Grönland · Thingvellir · Lindisfarne · Hastings · Dores · Normandie · Rouen

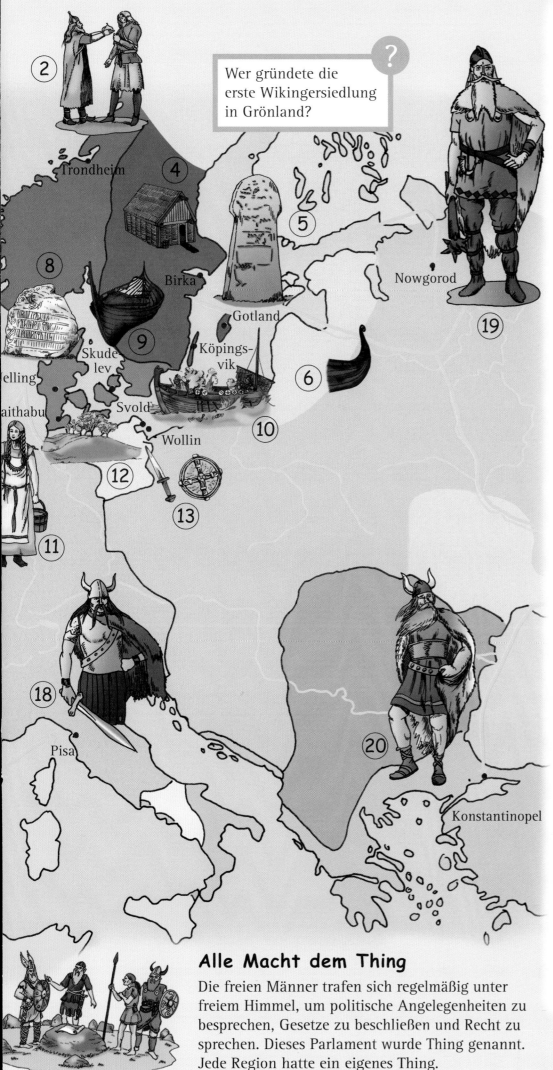

Wer gründete die erste Wikingersiedlung in Grönland?

1 Bereits um 930 hielten die Wikinger in Thingvellir die erste gesetzgebende Volksversammlung ab.

2 Der Wikingerkönig Olav I. Tryggvason gründete Trondheim im Jahr 997.

3 Der gebürtige Norweger Erik der Rote gründete 985 die erste Wikingersiedlung Brattahlíð in Grönland.

4 Birka, die erste schwedische Stadt, war zwischen 800 und 1000 ein wichtiger Handelsplatz für ganz Nordeuropa.

5 Auf Gotland wurden über 200 große Bildsteine aus der Wikingerzeit gefunden, die mit Figuren und Ornamenten verziert sind.

6 Viele Wikinger wurden gemeinsam mit ihren Schiffen in Hügelgräbern bestattet, den sogenannten Schiffsgräbern, unter anderem auch in Köpingsvik.

7 Als Beginn der Wikingerzeit betrachtet man den Überfall auf das Kloster Lindisfarne im Jahr 793.

8 Am wikingerzeitlichen Königssitz Jelling wurden zwei große Runensteine gefunden.

9 Bei Skudelev im Roskildefjord wurden zahlreiche Schiffswracks aus der Wikingerzeit gefunden.

10 Die Seeschlacht von Svold im Jahr 1000 gilt als die größte Seeschlacht der Wikingerzeit.

11 Die Wikingersiedlung Haithabu war einer der wichtigsten Handelsorte und gleichzeitig Anfangspunkt des Danewerks.

12 Das Danewerk ist eine Befestigungsanlage, die von Haithabu bis Hollingstedt reichte. Es ist das größte Bauwerk der Wikingerkultur.

13 Die Jomswikinger waren ein legendärer Wikingerbund. Sie hatten ihren Sitz in der Jomsburg auf der Insel Wollin.

14 Die niederländische Siedlung Dorestad wurde im 9. Jahrhundert innerhalb von 40 Jahren sechs Mal von Wikingern überfallen und geplündert.

15 Mit der Schlacht bei Hastings endete 1066 die Wikingerzeit.

16 841 fuhr eine Wikingerflotte erstmals die Seine hinauf und plünderte die Stadt Rouen.

17 Der Wikingerführer Rollo bekam 911 im Vertrag von Sant-Clair-sur-Epte vom französischen König die Normandie als Lehen zugesprochen.

18 Im Jahr 860 drangen die Wikinger bis nach Pisa vor und verwüsteten die Stadt.

19 Der Wikinger Rurik soll 862 ein Reich in dem Gebiet um Nowgorod gegründet haben.

20 911 griff Helgi, der die Wikingerreiche Nowgorod und Kiew vereinigt hatte, mit seinen Männern Konstantinopel an.

Alle Macht dem Thing

Die freien Männer trafen sich regelmäßig unter freiem Himmel, um politische Angelegenheiten zu besprechen, Gesetze zu beschließen und Recht zu sprechen. Dieses Parlament wurde Thing genannt. Jede Region hatte ein eigenes Thing.

Das Mittelalter

Im Mittelalter wurde jeder Mensch in einen bestimmten Stand hineingeboren, dem er in der Regel sein ganzes Leben angehörte. Den ersten Stand bildeten die Geistlichen, den zweiten die Adeligen und den dritten und größten die Bauern. Sie mussten als Leibeigene der adeligen Grundherren deren Felder bestellen. Zwischen Adeligen und Geistlichen gab es immer wieder Streit, weil sich die Adeligen in kirchliche Fragen einmischten.

Traumberuf Ritter?

Ritter zu sein war ziemlich teuer, da ein Ritter für Rüstung, Pferde und Knechte selbst zu sorgen hatte. Viele Adelige waren daher gar nicht daran interessiert, die Ritterwürde zu erlangen. Bereits mit sieben Jahren lernte der zukünftige Ritter als Page reiten und Bogenschießen. Mit 14 Jahren wurde er Knappe und durfte seinen Herrn zu Turnieren und Kämpfen begleiten. Mit 21 Jahren erhielt er die Ritterwürde.

Die Kreuzzüge

Als die muslimischen Türken Jerusalem eroberten, hinderten sie die christlichen Pilger daran, das Grab Christi zu besuchen. Da rief der Papst dazu auf, Jerusalem und das Heilige Land von den Muslimen zu befreien. In den folgenden 200 Jahren fanden sieben Kreuzzüge statt. Jerusalem wurde jedoch nicht zurückerobert.

Stadtluft macht frei

Als der Handel zunahm, wurden viele neue Städte gegründet, wo die Kaufleute ihre Waren auf Märkten verkaufen konnten. Die Bewohner der Städte hießen Bürger und bildeten einen neuen Stand. Viele leibeigene Bauern flohen in die Städte und wurden freie Bürger, wenn ihre Herren sie nicht spätestens nach einem Jahr zurückholten.

Runnymede

Orléar

Clermont

Santiago de Compostela

Valencia

Cordoba

Welche Stadt wollten die Kreuzritter zurückerobern?

22

Hansestadt Hamburg

Viele mittelalterliche Kaufleute schlossen sich zusammen, um sich besser vor Überfällen zu schützen und den Handel untereinander zu erleichtern. Später übernahmen die Städte die Interessen der Kaufleutehanse.

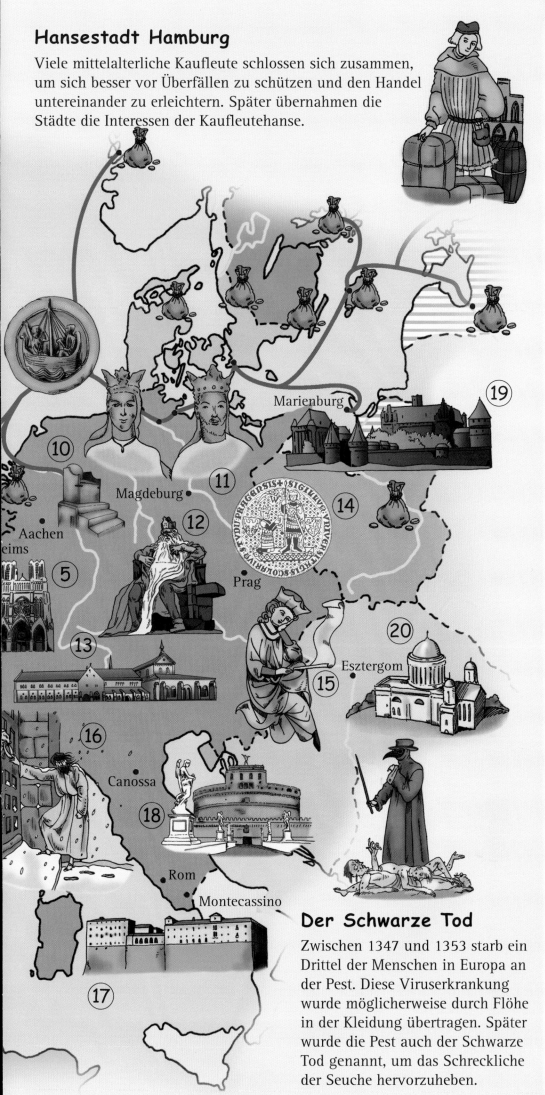

Der Schwarze Tod

Zwischen 1347 und 1353 starb ein Drittel der Menschen in Europa an der Pest. Diese Viruserkrankung wurde möglicherweise durch Flöhe in der Kleidung übertragen. Später wurde die Pest auch der Schwarze Tod genannt, um das Schreckliche der Seuche hervorzuheben.

1 Irische Mönche schrieben um 800 das Evangeliar von Kells und verzierten es mit Bildern von Menschen, Tieren und Pflanzen.

2 Der englische König Johann Ohneland unterschrieb 1215 die Magna Charta. In dieser Urkunde trat er dem Adel viele seiner Vorrechte ab.

3 Wilhelm I. war Herzog der Normandie. 1066 eroberte er von dort aus England und erhielt so seinen Beinamen „der Eroberer".

4 Das Bauernmädchen Jeanne d'Arc führte im Hundertjährigen Krieg die Franzosen in die Schlacht gegen die Engländer und gewann.

5 In der Kathedrale von Reims wurden alle französischen Könige gekrönt.

6 Papst Urban II. rief 1095 in Clermont zum Ersten Kreuzzug auf.

7 Im Mittelalter pilgerten viele Menschen zur Kathedrale von Santiago de Compostela, wo der Apostel Jakobus begraben sein soll.

8 Der Ritter El Cid kämpfte gegen die arabischen Herrscher im Süden Spaniens.

9 856 Säulen hat die Moschee von Cordoba. Sie wurde im 8. Jahrhundert von den Arabern erbaut.

10 Karl der Große wurde im Jahr 800 zum Kaiser gekrönt. Im Aachener Dom steht sein Thron. Dort ist er auch begraben.

11 Im Magdeburger Dom stehen die Figuren von Kaiser Otto I. und seiner Frau Editha. Die Dynastie der Ottonen herrschte im 11. Jahrhundert.

12 Kaiser Friedrich I. hatte einen roten Bart. Deswegen hieß er Barbarossa. Er gründete im 12. Jahrhundert die Herrscherdynastie der Staufer.

13 Das Zisterzienserkloster in Maulbronn ist das besterhaltene Kloster nördlich der Alpen.

14 Die älteste Universität in Mitteleuropa wurde 1348 in Prag gegründet. Noch älter sind die Universitäten in Bologna und Padua.

15 Walther von der Vogelweide war einer der bedeutendsten Minnesänger und Lyriker.

16 Im Jahr 1077 machte sich König Heinrich IV. auf den Weg nach Canossa. Dort bat er Papst Gregor VII., ihn vom Kirchenbann zu erlösen.

17 Das Kloster Montecassino gründete der Heilige Benedikt. Es ist der Hauptsitz des Benediktinerordens.

18 Der Papst war Oberhaupt aller Christen. Im Kirchenstaat regierte er als weltlicher Herrscher. Bei Gefahr floh er in die Engelsburg.

19 Die Marienburg war Hauptsitz des Deutschen Ordens. Die Ordensritter sicherten ihre eroberten Gebiete durch den Bau von Burgen.

20 Stephan der Heilige wurde im Jahr 1000 in der Burg von Esztergom zum ersten König von Ungarn gekrönt.

 ▬ Handelsrouten der Hanse
Handelskontore der Hanse

23

Die Entdeckungen

Um die wertvollen Gewürze aus Asien schneller nach Europa transportieren zu können, versuchten im 15. Jahrhundert vor allem spanische und portugiesische Seefahrer über das Meer nach Asien zu kommen. Dabei entdeckten sie Amerika. Diese für die Europäer neue Welt versprach Reichtum und Macht. Und so unterwarfen vor allem spanische Eroberer die Völker Mittel- und Südamerikas und machten ihre Länder zu spanischen Kolonien.

Der Irrtum von Kolumbus

Der portugiesische Seefahrer Vasco da Gama gelangte als erster Europäer mit dem Schiff nach Indien, nachdem er zuvor das gefährliche Kap der Guten Hoffnung umsegelt hatte. Wenige Jahre später wollte der Italiener Christoph Kolumbus herausfinden, ob man auch über den Atlantik Richtung Westen nach Indien segeln konnte. Tatsächlich entdeckte er die Küsten Mittel- und Südamerikas, die er aber Zeit seines Lebens für die Küsten Indiens hielt.

Einmal um die Welt

Der portugiesische Seefahrer Ferdinand Magellan wollte eine neue Route zu den indonesischen Gewürzinseln, den Molukken, finden. Er hoffte, in Südamerika eine Durchfahrt zum Pazifik zu finden. Er entdeckte sie ganz im Süden Südamerikas. Nach fast zwei Jahren erreichte er die Philippinen, wo er ermordet wurde. Sein Steuermann kehrte nach Europa zurück, nachdem er einmal die Welt umsegelt hatte.

Neue Wege, neue Länder

Der Kaufmann und Seefahrer Amerigo Vespucci wurde in Florenz geboren. Auf seinen Fahrten erforschte er als Erster die Ostküste Südamerikas. Nach ihm wurde der Kontinent später Amerika benannt.

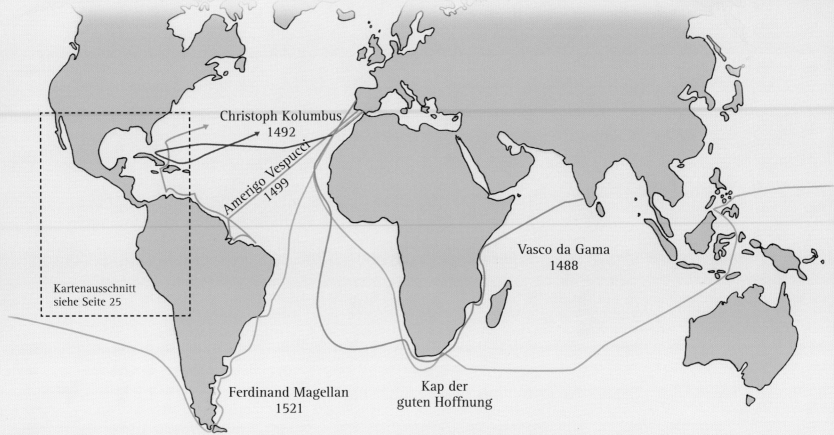

Christoph Kolumbus
1492

Amerigo Vespucci
1499

Vasco da Gama
1488

Kartenausschnitt
siehe Seite 25

Ferdinand Magellan
1521

Kap der
guten Hoffnung

Kap Hoorn

Die Pyramiden der Maya

Die Maya, die vor allem auf der Halbinsel Yukatan lebten, waren ein bedeutendes Indianervolk, das kunstvolle Pyramiden baute und eine komplizierte Hieroglyphenschrift verwendete. Um sie zu unterwerfen, brauchten die spanischen Eroberer über 20 Jahre.

1 Die Ruinenstadt Teotihuacán mit der Sonnenpyramide und der Mondpyramide war ein wichtiger Wallfahrtsort der Azteken.

2 Der Sonnenstein hat einen Durchmesser von über drei Metern. Er diente den Azteken auch als Kalender.

3 Hernando Cortés landete 1519 auf der Insel San Juan de Ulúa und eroberte von dort aus das Aztekenreich.

4 In Guatemala-Stadt wurde das Buch Popol Vuh wiederentdeckt. Darin ist die Geschichte der Maya, angefangen von der Schöpfung der Welt, beschrieben.

5 Die Stufenpyramide in Chichén Itzá ist 30 Meter hoch und hat insgesamt 365 Stufen – so viele wie Tage im Jahr.

6 Bei seiner vierten Reise betrat Christoph Kolumbus im heutigen Honduras zum ersten Mal das amerikanische Festland.

7 Bei Cajamarca besiegte Francisco Pizarro 1532 mit nur wenigen Männern ein riesiges Heer der Inka.

8 In der Nähe der Stadt Samaipata befindet sich eine Inka-Ruine, die die spanischen Eroberer für eine ehemalige Festung hielten.

9 Das prächtigste Gebäude in Cuzco, der Hauptstadt des Inkareichs, war der Sonnentempel.

10 Die Inka-Stadt Machu Picchu lag so versteckt auf einem Berg, dass die Spanier sie nicht finden und zerstören konnten.

11 Die spanischen Eroberer gründeten die Stadt Arequipa und bauten hier ein Kloster für die Töchter aus reichen spanischen Familien.

Teotihuacán
Tenochtitlán
San Juan de Ulúa
Chichén Itzá
Guatemala-Stadt
Honduras
Cajamarca
Cuzco
Machu Picchu
Arequipa
Samaipata

Das Gold der Inka

Die Inka lebten an der Westküste Südamerikas. Sie waren berühmt für ihre Goldschmiedekunst. Der spanische Abenteurer Francisco Pizarro machte sich mit knapp 200 spanischen Soldaten auf die Suche nach dem Gold der Inka. Pferde und Waffen der Spanier erschreckten die Inka so sehr, dass Pizarro ihr Reich fast ohne Gegenwehr erobern konnte.

Wo liegt Neuspanien?

Die Azteken sind die Vorfahren vieler Mexikaner. Sie waren mächtige Krieger, die viele ihrer Nachbarn unterworfen haben. Im Auftrag des spanischen Königs eroberte der Spanier Hernando Cortés das Aztekenreich. Er nahm ihre Hauptstadt Tenochtitlán ein und nannte sie Mexiko-Stadt. Aus dem Aztekenreich wurde die Kolonie Neuspanien.

Mit welchem Land verwechselte Kolumbus Amerika?

25

Die Reformation

Seit langem waren viele Menschen in Europa mit der römisch-katholischen Kirche unzufrieden. Päpste und Bischöfe wurden immer reicher und kümmerten sich nicht um ihre religiösen Aufgaben. Dagegen protestierte der Mönch und Theologieprofessor Martin Luther. Seine Reformvorschläge führten zur Spaltung der christlichen Kirche. Es entstand die evangelische Kirche. Daraufhin kam es zu schweren Religionskriegen in ganz Europa, die schließlich in den Dreißigjährigen Krieg mündeten.

„Wenn das Geld im Kasten klingt ...

... die Seele in den Himmel springt", lautete ein berühmter Spruch über den Ablasshandel. Die Kirche verkaufte an die Gläubigen Briefe. Damit seien ihnen die Sünden erlassen. Sie müssten nicht im Fegefeuer schmoren. Was die Gläubigen aber nicht wissen konnten: Sie bezahlten mit den Ablassbriefen dem Papst den Bau des Petersdoms.

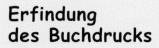

Erfindung des Buchdrucks

Im Mittelalter schrieben Mönche Bücher mit der Hand. Daher waren Bücher selten und kostbar. Um 1450 erfand Johannes von Gutenberg eine Druckpresse, die Bücher schnell und in großer Stückzahl drucken konnte. Die Buchseiten wurden aus einzelnen Bleilettern zusammengesetzt. So wurde es möglich, die neuen Ideen von Luther und anderen Reformatoren schnell zu verbreiten.

Eine Bibel für jedermann

Die Messe wurde auf Latein gehalten, das nur Geistliche und Gelehrte verstanden. Luther wollte, dass alle Christen dem Wort Gottes folgen konnten, und übersetzte die Bibel ins Deutsche. Mit seiner Bibelübersetzung schuf er ein Hochdeutsch, in dem sich Menschen aller Regionen und Dialekte verständigen konnten.

Der große Bauernkrieg

Bauern mussten ihren Grundherren oft so viel abgeben, dass ihnen selbst nichts zum Leben blieb. Ermutigt durch die religiösen Umbrüche, griffen sie zu den Waffen und forderten die Abschaffung der Leibeigenschaft. Ihre Aufstände wurden von den Landesherren blutig niedergeschlagen.

London

Madrid

Pa

Wogegen richtete sich Luther mit seinen 95 Thesen?

Eisenach
Mainz **Witten-berg**
Worms
Augsburg
Zürich
Genf
Trient
Wien
Rom

Massenwahn aus Aberglaube

Im 16. und 17. Jahrhundert herrschte an vielen Orten Aberglaube. Besonders Frauen wurden der Hexerei und dem Pakt mit dem Teufel verdächtigt. Man gab ihnen die Schuld an Unglücken wie Missernten und Viehsterben, folterte sie grausam und verbrannte sie öffentlich auf dem Scheiterhaufen. Die Opfer der Hexenprozesse in ganz Europa werden auf 40 000 bis 60 000 geschätzt.

1 An die Tür der Schlosskirche von Wittenberg schlug Luther 1517 seine 95 Thesen gegen den Ablasshandel an.

2 Auf der Wartburg bei Eisenach übersetzte Luther die Bibel in die deutsche Sprache.

3 In Worms sollte Luther 1521 vor dem Reichstag seine Reformforderungen zurücknehmen. Er weigerte sich.

4 Gutenberg druckte 1455 in Mainz die erste, noch lateinische Bibel.

5 Die Unternehmerfamilie Fugger lieh dem Kaiser und dem Papst Geld für Wahlen, Kriege und Bauvorhaben.

6 Ulrich Zwingli reformierte die Kirche in der Schweiz. Zusammen mit Calvin begründete er die reformierte evangelische Kirche.

7 Johannes Calvin machte Genf zu einer religiösen Musterstadt. Seine Lehre verbreitete sich in Frankreich, den Niederlanden und Schottland.

8 Die Calvinisten nahmen das Gebot „Du sollst dir von Gott kein Bildnis machen" ernst und zerstörten viele christliche Kunstwerke.

9 Der englische König Heinrich VIII. wollte sich scheiden lassen, was der Papst nicht erlaubte. Darauf gründete Heinrich die anglikanische Staatskirche.

10 Für den Neubau des Petersdoms in Rom hatte der Papst Leo X. Geld bei den Fuggern geliehen.

11 In der Kathedrale von Trient tagte von 1545 bis 1563 ein Konzil über die Reform der katholischen Kirche. Die Kirchenspaltung rückgängig machen konnte es aber nicht.

12 Die französischen Protestanten nennt man Hugenotten. Viele von ihnen mussten fliehen und kamen zum Beispiel nach Brandenburg-Preußen.

13 In der Bartholomäusnacht 1572 ließ die französische Königsmutter Katharina von Medici die führenden Hugenotten ermorden.

14 Im Reich des Habsburger Kaisers Karl V. ging die Sonne nie unter: Er regierte in Deutschland, Österreich, Burgund, den Niederlanden und in Spanien mit seinen Besitzungen in Übersee.

15 Die spanische Inquisition spürte im Namen der katholischen Kirche Abweichler vom richtigen Glauben, also Ketzer, auf, folterte und verbrannte sie.

16 Ignatius von Loyola gründete 1534 den Jesuitenorden, dessen Ziel die Bekehrung von Ketzern und die Erneuerung der Papstkirche war.

17 Das Osmanische Reich expandierte in den Westen. Im Jahr 1528 tauchte ein türkisches Heer vor den Toren Wiens auf, konnte aber zurückgeschlagen werden.

Konfessionen um 1550

römisch-katholisch	anglikanisch
lutherisch	muslimisch
reformiert	griechisch-orthodox

 Bauernaufstand 1525

Vereinigte Staaten von Amerika

Im 17. Jahrhundert kamen viele Menschen aus England nach Nordamerika. Sie flohen vor Armut oder religiöser Verfolgung; manche wollten auch einfach ihr Glück versuchen. Zunächst siedelten sie sich in Kolonien an der Ostküste an. Nach einem Krieg gegen England machten sich die Kolonien unabhängig und gründeten die Vereinigten Staaten von Amerika. In der Folgezeit zogen immer mehr Siedler nach Westen, bis der neue Staat an den Pazifischen Ozean grenzte.

Im Wilden Westen

Durch Einwanderer aus ganz Europa wuchs der Bedarf an Land. So machten sich viele neue Siedler auf den Weg in den Westen. Dort lebten Indianerstämme, wie die Sioux und die Apachen, die sich gegen die Siedler zur Wehr setzten. Viele Weiße zogen auch aus Abenteuerlust los. Besonders wenn Gold gefunden wurde, kam es immer wieder zum „Goldrausch".

Welche Indianerhäuptlinge besiegten am Fluss Little Bighorn die Amerikaner?

Leben, Freiheit und Streben nach Glück

Auf diese Rechte hat jeder weiße Amerikaner seit der Unabhängigkeitserklärung einen Anspruch. Die Verfassung der Vereinigten Staaten von Amerika wurde 1787 verabschiedet. Sie war damals die fortschrittlichste Verfassung der Welt. Sie ist die älteste demokratische Verfassung, die heute noch in Kraft ist.

Vertreibung der Indianer

Die Siedler kamen nicht in ein leeres Land. In ihm lebten verschiedene Indianerstämme. Die einen zogen als Jäger und Sammler umher, die anderen bebauten Äcker. Die Siedler verdrängten mit Gewalt die Indianer aus ihrem Land. Ende des 19. Jahrhunderts waren die meisten Indianer in Reservate umgesiedelt, in denen sie oft auch heute noch in großer Armut leben.

Das schwarze Amerika

Das Recht auf Freiheit galt nicht für die Sklaven, die aus Afrika auf Schiffen ins Land gebracht wurden. Sie waren wie Vieh Eigentum, das verkauft, gequält und ermordet werden konnte. Schwarze Sklaven schufteten vor allem auf den Baumwollplantagen in den Südstaaten. Nicht alle Amerikaner waren für die Sklaverei. Am Ende des 19. Jahrhunderts kam es deswegen zu einem Bürgerkrieg.

Boston

Philadelphia •

Washington D.C.•

Jamestown •

• Virginia

ATLANTIK

Boston Tea Party

England brauchte Geld für Kriege. Daher führte es in den amerikanischen Kolonien neue Steuern und Zölle ein. So sollten die Amerikaner Zoll für Tee aus der englischen Kolonie Indien bezahlen. Als im Hafen von Boston drei Schiffe mit Tee lagen, schlich sich eine Gruppe Amerikaner an Bord und warf die ganze Ladung ins Meer. Diese Aktion ärgerte England sehr, und der folgende Krieg führte zur Unabhängigkeit Amerikas.

1 Im Jahr 1607 gründeten englische Siedler die erste Kolonie an der Ostküste.

2 Auf der Mayflower kamen die ersten Puritaner nach Amerika. Sie lebten nach besonders strengen religiösen Regeln.

3 Eine andere Religionsgemeinschaft sind die Quäker. Sie bekämpften als Erste die Sklaverei.

4 In der Independence Hall erklärte der Kongress 1776 die Unabhängigkeit von England.

5 Benjamin Franklin erfand den Blitzableiter und war der erste amerikanische Botschafter in Europa.

6 Seit 1800 regieren die amerikanischen Präsidenten in Washington.

7 George Washington führte die amerikanischen Soldaten im Unabhängigkeitskrieg und wurde der erste Präsident Amerikas.

8 Thomas Jefferson ließ als Präsident erstmals durch Merriwether Lewis und William Clark den Weg zum Pazifischen Ozean erkunden.

9 Auf den Plantagen der Südstaaten wurde von Sklaven Baumwolle, Tabak, Reis und Indigo angebaut.

10 Die Stämme der Irokesen lebten in einem demokratisch organisierten Bund. Ob die Krieger ihre Haare im „Irokesenschnitt" trugen, ist nicht sicher.

11 Die Cherokee lebten als Bauern und trieben Handel mit den Weißen. Bei ihrer Zwangsumsiedlung nach Oklahoma starben von 10 000 beinahe die Hälfte.

12 Die Sioux lebten als Jäger und zogen den Bisonherden hinterher. Ihre Tipis aus Tierhäuten konnten sie schnell auf- und abbauen.

13 Die Apachen waren gute Reiter und gefährliche Krieger.

14 Am Fluss Little Bighorn schlugen die Sioux und Cheyenne unter den Häuptlingen Sitting Bull und Crazy Horse die amerikanischen Soldaten von Colonel George A. Custer vernichtend.

15 Mit dem Massaker der Amerikaner an wehrlosen Männern, Frauen und Kindern der Sioux brach 1890 der indianische Widerstand zusammen.

16 Die Amerikaner rotteten die Bisons aus. Damit nahmen sie vielen Indianerstämmen die Lebensgrundlage.

17 Erst zogen die Pioniere und Trapper, das sind Jäger und Fallensteller, dann die Farmer in den Westen.

18 Das letzte Stück der ersten Eisenbahnlinie zwischen der Ost- und der Westküste wurde 1869 in Utha gelegt.

19 Cowboys hüteten riesige Rinderherden und trieben sie in Städten zusammen.

■ Die 13 Gründungsstaaten der USA
■ Gebietszuwachs bis 1803
■ Gebietszuwachs bis 1853

Die Französische Revolution

„Freiheit, Gleichheit, Brüderlichkeit" forderte das französische Volk 1789 in der Erklärung der Menschenrechte. Die Revolutionäre schafften die alte Gesellschaftsordnung ab, in der nur Adelige und Geistliche Macht gehabt hatten. Jeder Bauer und jeder Bürger war jetzt frei und durfte die Politik mitbestimmen. Sie setzten den König ab und riefen die Republik aus. Ganz Europa geriet in Aufruhr. Die Könige der Nachbarländer fürchteten sich vor der Revolution und zogen in den Krieg gegen Frankreich.

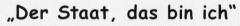

„Der Staat, das bin ich"

So lautete ein Ausspruch des französischen Königs Ludwig XIV. Er lebte in Prunk und Pracht mit seinem Hofstaat in seinem Schloss in Versailles. Das arme Volk musste dafür zahlen. Die reichen Adeligen und Geistlichen waren von der Steuer befreit. Ludwigs Nachfolger machten es nicht anders, bis der Staat völlig bankrott war.

Jeder Mensch ist frei

Im 18. Jahrhundert hatten Gelehrte in ganz Europa die vielen Religions-kriege satt. Sie schrieben Bücher über religiöse Toleranz, gegen die Folter und gegen die Unfreiheit der Bauern. Man nennt sie „Aufklärer". Sie sagten: Jeder Mensch ist von Natur aus frei und gleich. Ihre Ideen verbreiteten sich in ganz Europa und fanden viele Anhänger, besonders unter den französischen Revo-lutionären.

Der Sturm auf die Bastille

Der König Ludwig XVI. versammelte Soldaten in Versailles. Dort arbeitete auch die Nationalversammlung an der Neuordnung des Staates. Das Volk von Paris fürchtete, der König wolle die Nationalversammlung auflösen. Es griff zu den Waffen und stürmte die Bastille. Das Gefängnis galt als Symbol für die Macht des Königs. Außerdem wurde dort Munition gelagert.

Kopf ab!

Die Guillotine ist eine Maschine, mit der Menschen durch ein Fallbeil geköpft werden. Die Revolutionäre benutzten die Guillotine, um die Anhänger des Königs hinzurichten. Im Jahr 1793 wurde der König und ein Jahr später die Königin Marie Antoinette zur Guillotine geführt. Die Könige in ganz Europa waren entsetzt – fürchteten sie doch um ihre eigenen Köpfe.

London

Wate…

Paris

Versailles

Va…

Madrid

17

9

1

2

3

5

18

7

6

16

19

Welches Kleidungsstück trugen die Revolutionäre?

1 Die Revolutionäre trugen die Jakobinermütze. Sie ist nach der Partei der Jakobiner benannt. Diese verbreiteten 1793 und 1794 Angst und Schrecken.

2 Die Pariser Marktfrauen zogen 1789 nach Versailles und holten den König nach Paris. Dort hatten sie ihn besser unter Kontrolle.

3 Bei Valmy siegte die Revolutionsarmee erstmalig über das Heer der Nachbarstaaten.

4 Der Philosoph Jean-Jacques Rousseau entwickelte die Idee, dass alle Gewalt im Staat beim Volk liegen müsse.

5 Viele Adelige verließen aus Angst vor der Revolution das Land. Der Staat verkaufte ihre Ländereien.

6 Alle Klöster wurden geschlossen. Der Besitz der Kirche fiel an den Staat.

7 In der Armee konnte jeder Karriere machen. Vorher waren die Offiziere immer Adelige.

8 Napoleon kam aus einer einfachen Familie mit vielen Kindern. Seine Geschwister machte er zu Königen und Königinnen in ganz Europa.

9 Bei Waterloo verlor Napoleon 1815 gegen die Engländer und Preußen. Danach wurde er auf die einsame Insel St. Helena verbannt.

10 König Friedrich II. hatte Preußen nach den Ideen der Aufklärung modernisiert. Trotzdem fürchteten sich seine Nachfolger vor der Revolution.

11 Der Philosoph Immanuel Kant forderte alle Menschen auf, ihre Vernunft zu benutzen und nicht alles zu glauben.

12 Bei Jena und Auerstedt gewann Napoleon 1806 gegen die Preußen.

13 Der Code Napoleon war das modernste und beste Gesetzbuch seiner Zeit. Viele Länder behielten es auch nach der Abdankung Napoleons bei.

14 Weil viele deutsche Länder auf die Seite Napoleons wechselten, dankte Franz II. als Deutscher Kaiser ab. Er blieb aber als Franz I. Kaiser von Österreich.

15 In Österreich wurde die Leibeigenschaft der Bauern schon früher abgeschafft als in Frankreich oder Preußen.

16 In der Seeschlacht von Trafalgar schlugen die Engländer die Franzosen. Gegen die englische Seeherrschaft war Napoleon machtlos.

17 Der englische Premierminister William Pitt der Jüngere organisierte hauptsächlich den Widerstand gegen Napoleon.

18 Der englische Herzog von Wellington unterstützte die Spanier in ihrem Kampf gegen Napoleon.

19 Die Spanier erfanden gegen Napoleon den Guerillakrieg: Kleine Trupps überfielen die französischen Soldaten aus dem Hinterhalt.

20 Papst Pius VII. schloss Napoleon aus der Kirche aus. Dieser nahm den Papst dafür gefangen.

Ein General erobert Europa

Napoleon Bonaparte war Soldat und fiel früh durch seine Intelligenz auf. In den Wirren der Revolution kam er an die Macht. Später krönte er sich selbst zum Kaiser von Frankreich. Er führte gegen alle anderen Länder in Europa Krieg, am Anfang mit großem Erfolg. Viele Könige führten in ihren Ländern Reformen durch, damit ihre Untertanen nicht zu Napoleon überliefen.

Die Industrielle Revolution

Bis zum 19. Jahrhundert arbeiteten die meisten Menschen als Bauern auf dem Land und als Handwerker in den Städten. Jetzt entstanden erst in England, dann überall in Europa Fabriken, in denen mit neuen Maschinen massenhaft Waren hergestellt wurden. Dies wälzte das Leben vieler Menschen völlig um. Immer mehr arbeiteten in der neuen Industrie. Oft schufteten sie 16 Stunden am Tag und lebten in großem Elend. Für eine gerechte Behandlung der Arbeiter stritten die neuen sozialistischen Arbeiterparteien.

Baumwollhemden für alle

Die ersten neuen Fabriken im Norden Englands stellten Textilien her. Vorher hatten Frauen und Männer von Hand Fäden gesponnen und Stoffe gewebt. Jetzt erledigten Spinnmaschinen und mechanische Webstühle die Arbeit viel schneller. Viele Menschen verloren ihre Arbeit. Die Baumwolle kam von den Sklavenplantagen Amerikas.

Großstädte entstehen

Im 19. Jahrhundert zogen viele Menschen vom Land in die Stadt. Sie hofften, in den neuen Fabriken Arbeit zu finden. Schnell mussten viele billige Wohnungen gebaut werden. Die Arbeiterfamilien wohnten auf engstem Raum. Es gab kein fließendes Wasser und keine Toiletten. Schlimme Seuchen wie Typhus breiteten sich aus, an denen viele starben.

Die Revolution durch Dampf

Der Engländer James Watt erfand eine Maschine, die durch Wasserdampf angetrieben wird. Zunächst benutzte man sie für Pumpen in Bergwerken und für mechanische Webstühle, dann für Lokomotiven und Schiffe. Die Dampflokomotive „Rocket" war die schnellste ihrer Zeit. Sie fuhr auf einer der ersten Bahnstrecken von Liverpool nach Manchester.

Edinburgh

Liverpool
Manchester

London

Atlantischer
Ozean

Paris

Zwischen welchen Städten fuhr eine der ersten Eisenbahnen der Welt?

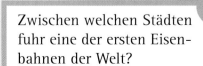

32

„Ein Gespenst geht um in Europa ..."

schrieben Karl Marx und Friedrich Engels am Anfang ihres „Kommunistischen Manifests". Das Gespenst ist der Kommunismus. Kommunismus heißt: Es gibt keine armen Arbeiter und reichen Unternehmer. Alle sollen von ihrer Arbeit leben können. Diese Idee hatte großen Einfluss auf die neu gegründeten Sozialistischen Arbeiterparteien in Europa.

1 Der Philosoph Adam Smith dachte als Erster in seinem Buch „Wohlstand der Nationen" über Arbeit, Eigentum und die Rolle des Staates nach.

2 Die erste Spinnmaschine „Spinning Jenny" konnte achtmal schneller Fäden spinnen als ein Mensch.

3 Charles Dickens schrieb in seinen Büchern über die neue soziale Not, so über den Waisenjungen Oliver Twist.

4 Eine Kartoffelkrankheit führte in Irland zu einer schrecklichen Hungersnot. Viele Iren wanderten nach Amerika aus.

5 Im Jahr 1818 überquerte erstmals ein Dampfschiff den Atlantischen Ozean.

6 Der Eiffelturm wurde für die Weltausstellung 1889 errichtet. Auf der Ausstellung zeigten alle Länder ihre neuesten Erfindungen.

7 Der Sozialist Louis Blanc gründete Nationalwerkstätten, um arbeitslose Arbeiter zu versorgen. Das Projekt scheiterte.

8 Louis Daguerre erfand den ersten Fotoapparat.

9 Auf der Suche nach einem haltbaren Blumentopf erfand der Gärtner Joseph Monier den mit Eisen verstärkten Beton. Damit konnten ganz neue Häuser und Brücken gebaut werden.

10 Der Reichskanzler Otto von Bismarck schuf 1883 die ersten Gesetze zur staatlichen Hilfe für Arbeiter bei Krankheit und Unfällen.

11 Die schlesischen Weber verdienten immer weniger und wehrten sich mit Gewalt gegen ihre Ausbeuter. Ihr Aufstand wurde blutig niedergeschlagen.

12 Die Brüder Siemens und Vater und Sohn Martin erfanden zusammen einen Schmelzofen, in dem erstmals Stahl hergestellt werden konnte.

13 In Gotha wurde die Sozialistische Arbeiterpartei Deutschlands gegründet, die sich bald Sozialdemokratische Partei Deutschlands (SPD) nannte.

14 Carl Benz in Mannheim und Gottlieb Daimler in Stuttgart entwickelten die ersten Autos.

15 Waren und Post konnten mit der Eisenbahn jetzt viel schneller befördert werden als je zuvor.

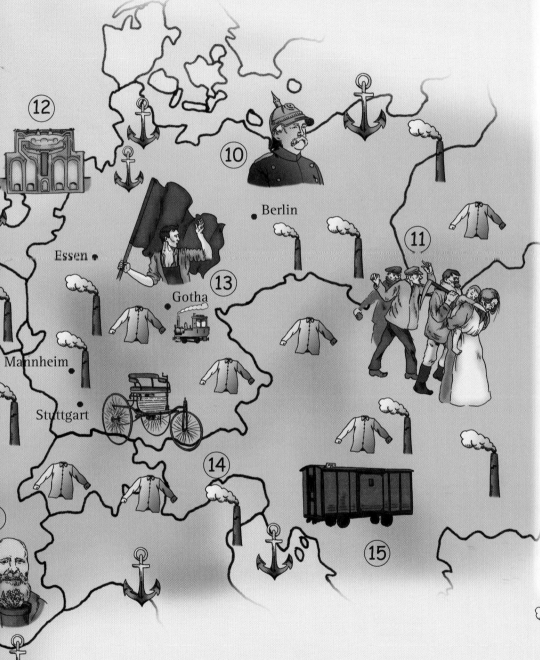

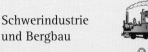 Schwerindustrie und Bergbau

 Eisenbahn

Textilindustrie

 Hafen

Kinderarbeit in Fabriken

Weil die Arbeiter nur einen Hungerlohn bekamen, der nicht zum Leben reichte, arbeiteten häufig auch ihre Kinder. Schon kleine Kinder schufteten unter Lebensgefahr in den Bergwerken und an den Maschinen. In England wurde 1833 die Arbeit für Kinder unter 9 Jahren verboten. Später schränkte man die Arbeitszeit ein: 9- bis 13-Jährige durften jetzt 6,5 Stunden und 13- bis 18-Jährige 12 Stunden am Tag arbeiten!

Europa beherrscht die Welt

Die neuen Industrien in Europa stellten immer mehr Waren her. Alle Länder suchten nach Möglichkeiten, diese auch zu verkaufen. Sie sahen neidisch auf England, das seine Waren in seinen Kolonien Indien, Kanada oder Australien verkaufte und von diesen billig Rohstoffe bezog. Es begann ein Wettrennen um die letzten, noch nicht kolonialisierten Flecken der Welt, besonders um Afrika. Jede Nation hielt sich für die beste und wollte möglichst viele Kolonien besitzen, die fremden Völker aber fragte niemand.

Kaiserin von Indien

Victoria wurde mit 18 Jahren Königin von England und regierte 64 Jahre lang. Sie herrschte über das riesige britische Kolonialreich. Fast ein Viertel aller Menschen waren ihre Untertanen. Sie wurde zur Kaiserin von Indien gekrönt, und in Delhi huldigten ihr alle indischen Herrscher. Sie selbst war lieber in England geblieben.

Die verspätete Nation

Anders als Frankreich und England bestand Deutschland aus mehreren selbstständigen Königreichen und Fürstentümern. Es hatte keine Nationalflagge und keine Nationalhymne. Erst 1871 gelang es dem preußischen Ministerpräsidenten Otto von Bismarck, Deutschland als Kaiserreich zu einigen. Erster Kaiser des neuen Reichs wurde der preußische König Wilhelm I.

Ein Kontinent wird aufgeteilt

Die europäischen Nationen stritten sich darum, wer welchen Teil Afrikas bekommen sollte. Aber in einer Sache waren sie sich einig: Sie seien als Europäer den Schwarzen haushoch überlegen. Daher sei es besser, die Europäer würden in Afrika regieren. Dieses Denken nennt man Rassismus. Es hat schlimmes Unrecht in die Welt gebracht.

Lernen von Europa

Die Japaner hatten 200 Jahre keine Fremden ins Land gelassen. Jetzt beschlossen sie, ihr Land nach europäischen Vorbildern zu erneuern: Sie schauten sich von Deutschland das Heer und von England die Flotte ab. 1905 siegte Japan über das riesige Russland und machte Korea zu seiner Kolonie. Die Europäer waren schockiert – eine Kolonialmacht aus Asien konnten sie sich nicht vorstellen.

1 Das Reich von Kaiser Franz Joseph I. und seiner Frau Sisi war kein Nationalstaat. In ihm lebten verschiedene Völker.

2 Angefangen mit den Griechen machten sich immer mehr Völker vom Osmanischen Reich unabhängig.

3 Florence Nightingale erfand im Krimkrieg die moderne Pflege von Kranken, die von nun an seltener starben.

4 Zar Alexander II. vergrößerte das riesige russische Reich weiter. Er regierte mit harter Hand und wurde von Revolutionären ermordet.

5 Erst spät wurden die russischen Bauern befreit. Sie lebten weiter in großer Armut.

6 Die Transsibirische Eisenbahn verbindet Moskau mit dem Hafen Wladiwostok am Pazifischen Ozean.

7 Der letzte chinesische Kaiser Pu Yi wurde mit nur 2 Jahren gekrönt. Seine Vorgänger waren bei der Krönung auch nicht viel älter gewesen.

8 Aus der niederländischen Kolonie Indonesien kamen Gewürze wie Nelken, Muskat und Pfeffer.

9 Nach Australien verbannte England seine Verbrecher. Sie gründeten dort neue Siedlungen.

10 Die Abenteuer von Mowgli im indischen Dschungel dachte sich der englische Schriftsteller Rudyard Kipling aus, der in Indien geboren wurde.

11 Im Norden und Westen Afrikas hatte Frankreich riesige Kolonien. Dort wurden Kaffee, Kakao und Baumwolle angebaut.

12 Der Missionar David Livingstone erforschte das Innere Afrikas und galt viele Jahre als verschollen.

13 Gold- und Diamantenfunde führten zum Krieg zwischen England und den Buren. Die Buren waren rund 200 Jahre zuvor von Holland nach Südafrika ausgewandert.

14 Kanada durfte sich selbst verwalten. Die Außenpolitik bestimmte aber England.

15 Präsident Abraham Lincoln führte Krieg gegen die Südstaaten. Sie waren wegen der Sklavenfrage aus dem gemeinsamen Staatenbund ausgetreten.

16 Amerikanische Ingenieure bauten den Panamakanal, der den Atlantischen mit dem Pazifischen Ozean verbindet.

17 Simon Bolivar hatte 1810 einen Aufstand der Kolonien gegen Spanien angeführt. Südamerika wurde unabhängig.

18 Mit der Erfindung des Fleischextrakts konnte argentinisches Rindfleisch haltbar gemacht und nach Europa verschifft werden.

19 In den Kolonien setzten die Europäer oft Kanonenboote ein. Man spricht daher von „Kanonenbootpolitik".

20 Aus dem Fett der Wale wurde Tran gekocht, der als Grundstoff für Lampenöl, Seife oder Sprengstoff diente.

In welchem Land wurden Diamanten gefunden?

Handelskrieg für Rauschgift

England hatte an der Küste Chinas Handelsstützpunkte gegründet und schmuggelte Opium ins Land. Der chinesische Kaiser verbot den unerlaubten Rauschgifthandel. Darauf griff die englische Flotte China an. Das riesige chinesische Reich war den neuen Waffen unterlegen. Es musste Hongkong abtreten, das England 1997, nach 155 Jahren, zurückgab.

Erster Weltkrieg

Ohne großen Anlass brach 1914 der Erste Weltkrieg aus. Seit vielen Jahren hatten sich die europäischen Nationen riesige Waffenlager aufgebaut. Jetzt kämpften Deutschland und Österreich gegen Frankreich, England und Russland, später auch noch gegen die Vereinigten Staaten von Amerika. Deutschland und Österreich verloren den Krieg. Danach begann eine unsichere Zeit: Kaiser und Könige wurden gestürzt, Soldaten und Arbeiter revoltierten, und rechtsextreme Parteien wollten Diktaturen errichten.

Die russische Revolution

Die Russen waren schon lange unzufrieden mit ihrem Zaren. Als er eine Schlacht nach der anderen verlor, stürmten sie seinen Palast und setzten ihn ab. Sie gründeten Arbeiter-, Bauern- und Soldatenräte. Rat heißt auf Russisch Sowjet. Unter der Führung von Lenin übernahmen die Sowjets im Oktober 1917 die Regierung und gründeten die russische Sowjetrepublik.

Die ungeliebte Republik

Nach dem verlorenen Krieg musste Kaiser Wilhelm II. abdanken. Deutschland wurde das erste Mal in seiner Geschichte eine Republik. Die Weimarer Republik hatte es von Anfang an schwer: Sie kämpfte mit den Kriegsfolgen, mit Armut, Arbeitslosigkeit und Geldforderungen der Sieger. Viele Deutsche wollten lieber eine Revolution wie in Russland oder einen „starken Mann", der allein regiert.

Friedrich Ebert

Die Goldenen Zwanziger

In den zwanziger Jahren brach eine neue Zeit an: Erstmals durften alle wählen, auch die Frauen. Viele Länder führten Jugendschutz, Krankenkassen, Renten und andere moderne soziale Leistungen ein. Eine völlig neue Architektur und Kunst entstand. Man hörte Jazz und Schlager, las die ersten Comics und ging ins Kino.

Im Schützengraben

Im Ersten Weltkrieg wurde erstmals das Maschinengewehr eingesetzt. Deutsche, Franzosen und Engländer gruben sich in tiefe Gräben ein, um sich vor dem Dauerbeschuss zu schützen. Manchmal gewannen sie ein paar Kilometer Land, dann verloren sie es wieder. In diesem Krieg starben so viele Männer wie in keinem Krieg zuvor – fast 10 Millionen.

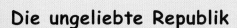

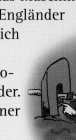

Der schwarze Freitag

An einem Freitag 1929 brach an der New Yorker Börse der Aktienhandel zusammen. Damit begann die bisher größte Wirtschaftskrise in der Welt. In Deutschland machten Firmen pleite, Millionen Menschen wurden arbeitslos. Viele gaben der Republik die Schuld und wählten Parteien, die die Republik abschaffen wollten: die Kommunistische Partei Deutschlands (KPD) oder die Nationalsozialistische Deutsche Arbeiterpartei (NSDAP).

1 Mit Mohnblumen gedenken die Engländer ihrer toten Soldaten, weil auf den Schlachtfeldern des Ersten Weltkriegs viele Mohnblumen wuchsen.

2 Im Schloss von Versailles wurde 1919 der Friedensvertrag geschlossen. Deutschland verlor seine Kolonien, musste abrüsten und Geld an die Sieger zahlen.

3 Bei Verdun war eine der schrecklichsten Schlachten. Hier liegen 700 000 Franzosen und Deutsche begraben.

4 In Genf war der Sitz des Völkerbundes. Er wurde gegründet, um weitere Kriege zu verhindern.

5 Die deutschen Matrosen verweigerten den Befehl. Sie wollten den Krieg beenden und Deutschland revolutionieren.

6 Die Politikerin Rosa Luxemburg ist eine Gründerin der Kommunistischen Partei Deutschlands (KPD). Sie wurde von Rechtsextremen ermordet.

7 Adolf Hitler wollte 1923 in München mit seiner noch kleinen NSDAP mit Gewalt an die Macht. Er scheiterte und wurde verhaftet.

8 Die Dolchstoßlegende behauptete, das deutsche Heer sei nur durch die Revolution in der Heimat „erdolcht" worden. Die Wahrheit ist: Das Heer war militärisch besiegt.

9 Das österreichische Kaiserreich wurde nach dem Krieg aufgelöst. Die Tschechoslowakei, Ungarn und Jugoslawien wurden eigene Staaten.

10 An der Weichsel konnten die Polen den Vormarsch der russischen Roten Armee stoppen und wurden so keine Sowjetrepublik.

11 Wladimir Iljitsch Uljanow, genannt Lenin, erweiterte die Idee von Karl Marx von einer Revolution der Arbeiter und führte die russische Revolution an.

12 Nachdem die russischen Revolutionäre den Bürgerkrieg gewonnen hatten, gründeten sie die Union der Sozialistischen Sowjetrepubliken (UdSSR).

13 In Rumänien versuchte die faschistische Eiserne Garde an die Macht zu kommen, was ihr nicht gelang.

14 In Sarajewo erschoss ein serbischer Attentäter den österreichischen Thronfolger Erzherzog Franz Ferdinand. Die folgenden Verwicklungen führten zum Ersten Weltkrieg.

15 Der Offizier Mustafa Kemal Atatürk setzte den Sultan ab und gründete die moderne Türkische Republik.

16 Mit dem „Marsch auf Rom" besetzten die Faschisten von Benito Mussolini die Hauptstadt und gründeten eine Diktatur.

17 Spanien wurde 1931 Republik und gab sich eine fortschrittliche Verfassung.

18 Nach einem Militärputsch errichtete Antonio de Oliveira Salazar in Portugal eine Diktatur, die bis 1974 bestand.

? Wer eroberte mit dem „Marsch auf Rom" in Italien die Macht?

Zweiter Weltkrieg

Adolf Hitler errichtete mit seiner nationalsozialistischen Partei eine Diktatur in Deutschland. Sein Ziel war ein neuer Krieg. Mit Deutschlands Überfall auf Polen begann 1939 der Zweite Weltkrieg. In diesem Krieg starben noch viel mehr Menschen als im Weltkrieg zuvor. England, Amerika und die Sowjetunion erkämpften 1945 die totale Niederlage Deutschlands und besetzten es. Später zerstritten sie sich. So entstanden zwei neue Staaten: die Bundesrepublik Deutschland (BRD) und die Deutsche Demokratische Republik (DDR).

Die Errichtung der Diktatur

Im Jahr 1933 wurde Hitler zum Reichskanzler gewählt. Er selbst nannte es „Machtergreifung" und sich „Führer". In der Folgezeit schaffte er mit Gewalt die Republik ab. Die Deutschen durften nicht mehr öffentlich ihre Meinung sagen. Politiker, die gegen ihn waren, sperrte er in Konzentrationslager und ließ sie dort foltern und ermorden.

Autobahnen und Aufrüstung

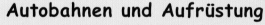

Die meisten Deutschen fanden Hitler gut. Er ließ Autobahnen bauen und behauptete, damit gebe er vielen Arbeitslosen neue Arbeit. In Wirklichkeit ging die Arbeitslosigkeit erst richtig zurück, als Hitler riesige Mengen neuer Waffen herstellen ließ. Das Geld dafür wollte er sich später im Krieg von den von ihm besetzten Ländern wiederholen.

„Die Jugend gehört dem Führer"

Schon Kinder und Jugendliche sollten zu guten Nationalsozialisten, Soldaten und Soldatenfrauen erzogen werden. Dafür sorgten die „Hitlerjugend" (HJ) und der „Bund deutscher Mädel" (BDM). Alle anderen Organisationen und Vereine für Jugendliche wurden verboten.

Stalin

Joseph W. Dschugaschwili Stalin war Lenin in der Führung der Kommunistischen Partei Russlands gefolgt. Er ließ seine politischen Gegner ermorden oder nach Sibirien bringen und machte sich zum Diktator. Stalin war Hitlers Hauptfeind. Die deutsche Armee überfiel die Sowjetunion und führte einen besonders grausamen Krieg gegen die Rote Armee.

FINNLAND

Leningrad

SOWJETUNION

⑩

⑨

⑪

Warschau
POLEN
Auschwitz

RUMÄNIEN

Stalingrad

⑥

⑫

UNGARN

⑧

Jude

.3

SERBIEN

BULGARIEN

TÜRKEI

Von wo aus griffen die
Gegner Nazideutschland an?

?

■ Deutschland 1937
□ von Deutschland
besetzte Gebiete
■ Gegner Deutschlands

□ neutrale Staaten
□ mit Deutschland
verbündete Staaten

Die Ermordung der Juden

Hitler behauptete, die Deutschen seien eine bessere
„Rasse" als die Juden. In Wahrheit waren die Juden
auch Deutsche. Erst verboten die Nationalsozialisten
den jüdischen Kindern zur Schule zu gehen und den
Erwachsenen zu arbeiten. Dann zündeten sie ihre
Gotteshäuser an. Schließlich brachten sie die Juden in
Konzentrationslagern um. Die Nationalsozialisten haben in
ganz Europa etwa 6 Millionen jüdische Kinder, Frauen und
Männer ermordet. Nur wenige Menschen hatten den Mut,
ihren jüdischen Mitbürgern zu helfen.

1 Adolf Hitler träumte von einem deutschen
Weltreich, genannt das „Dritte Reich". Er überfiel
alle europäischen Länder, um sie zu unterwerfen.

2 Die Olympischen Spiele fanden 1936 in Berlin
statt. Deutschland wollte sich der Welt als ganz
„normales" Land zeigen.

3 Joseph Goebbels war Minister für Propaganda.
Er hielt Hetzreden und verbreitete viele Lügen.

4 Die Geschwister Sophie und Hans Scholl
verteilten Flugblätter gegen Hitler. Sie wurden
dafür hingerichtet.

5 Frauen sollten viele Kinder bekommen, weil
Hitler Soldaten brauchte. Als die Männer in den
Krieg zogen, übernahmen die Frauen ihre Arbeit.

6 Die SS bewachte die Konzentrationslager und
ermordete viele unschuldige Menschen. SS ist die
Abkürzung für „Schutzstaffel".

7 Engländer und Amerikaner bombardierten aus
Flugzeugen deutsche Städte. Sie wollten, dass die
Deutschen sich von Hitler lossagen.

8 In Auschwitz war ein großes Konzentrationslager. Hier ermordeten die Nationalsozialisten
etwa 960 000 Juden aus ganz Europa mit Gas.

9 Die Warschauer Juden wehrten sich, in einem
Stadtviertel eingesperrt zu sein. Die Nationalsozialisten schlugen den Aufstand brutal nieder.

10 Unter großen Opfern hielt die Bevölkerung
Leningrads fast zweieinhalb Jahre der Belagerung
durch die deutsche Armee stand.

11 Die neue Waffe des Zweiten Weltkriegs war
der Panzer. Mit ihm konnten riesige Gebiete
erobert werden.

12 In Stalingrad erlitten die Deutschen eine
schwere Niederlage. Danach eroberte die Rote
Armee ihr Land wieder Stück für Stück zurück.

13 Alle Juden mussten einen gelben Stern auf
der Kleidung tragen. So waren sie überall
erkennbar.

14 Die 13jährige Jüdin Anne Frank schrieb ein
Tagebuch über ihr Leben im Versteck vor den
Nationalsozialisten.

15 Der englische Premierminister Winston
Churchill führte zusammen mit dem amerikani-
schen Präsidenten Franklin D. Roosevelt und
Stalin den Krieg gegen Nazideutschland.

16 Im Sommer 1944 landeten englische und
amerikanische Soldaten an der französischen Küste
und griffen die Deutschen an.

17 Der Norden Frankreichs war von den
Deutschen besetzt, der Süden arbeitete mit ihnen
zusammen. Es gab aber auch Widerstand.

18 Im Spanischen Bürgerkrieg unterstützten die
demokratischen und kommunistischen Länder
die Republik, die Nationalsozialisten den neuen
Diktator Francisco Franco.

19 Der italienische Führer Benito Mussolini war
ein Freund Hitlers. Beide beschworen die „Achse"
zwischen Rom und Berlin.

Die Welt heute

Nach dem Zweiten Weltkrieg verlor Europa seinen Einfluss. Zwei neue Supermächte beherrschten nun die Welt: das demokratische Amerika und das kommunistische Sowjetrussland. Sie rüsteten um die Wette, führten aber nie direkt gegeneinander Krieg. Daher spricht man vom „Kalten Krieg". Er wurde verdeckt in vielen Ländern der Welt ausgetragen, so zum Beispiel in den beiden deutschen Staaten, der demokratischen Bundesrepublik und der kommunistischen DDR.

Das Parlament aller Länder

Direkt nach dem Krieg gründeten die Kriegsgegner Deutschlands und Japans die Vereinten Nationen. Sie werden nach dem englischen Namen (United Nations Organisation) mit UNO abgekürzt. Die UNO ist ein Parlament, dem alle Länder der Welt angehören. Es soll Kriege verhindern und für Gerechtigkeit sorgen. Die UNO hat auch ein Hilfswerk für Kinder in Not, die UNICEF (United Nations International Children's Emergency Fund).

> Wer war als erster Mensch im Weltraum?

Geschichte „live" im Fernsehen

Seit man mit Raketen Satelliten in den Weltraum schießen kann, ist die Welt viel kleiner geworden. Die Satelliten übermitteln in ganz kurzer Zeit Nachrichten aus aller Welt an unsere Fernseher oder Computer. So können wir Zeugen von aktuellen Ereignissen, von Revolutionen, Wahlen oder Entdeckungen auf der ganzen Welt werden in dem Moment, wo sie passieren. Das ging früher nicht.

Der 11. September 2001

An diesem Tag rasten zwei von Terroristen entführte Flugzeuge in das World Trade Center in New York. Die beiden Hochhäuser stürzten ein, viele tausend Menschen starben. Hinter dem Anschlag standen fanatische Moslems. Für sie verkörpert Amerika das Böse, das mit allen Mitteln bekämpft werden muss.

USA · New York · Tennessee · KUBA · EUROPA · ISRAEL · CHILE

Der Fall der Berliner Mauer

Von 1961 an verlief mitten durch Berlin eine Mauer. Der Westen Berlins hatte eine demokratische Regierung, der Osten gehörte zur DDR-Diktatur. Im Jahr 1989 waren die Bürger der DDR so unzufrieden mit ihrer Regierung, dass sie die Öffnung der Mauer erzwangen. Alles verlief ganz friedlich. Mit dem Fall der Mauer war der Kalte Krieg zu Ende und Deutschland wieder ein einziges Land.

Die furchtbarste Waffe der Welt

Japan hatte im Zweiten Weltkrieg Amerika angegriffen und große Gebiete in China und Südostasien erobert. Um den Krieg zu beenden, warfen die Amerikaner im Sommer 1945 zwei neu entwickelte Atombomben auf die japanischen Städte Hiroshima und Nagasaki. Die Städte wurden völlig zerstört, Hunderttausende Menschen starben. Seither wurden keine Atombomben mehr eingesetzt.

1 Die europäischen Staaten schlossen sich zur Europäischen Gemeinschaft (EU) zusammen. Sie haben eine gemeinsame Währung, den Euro.

2 Die dem Naziterror entkommenen Juden gründeten 1948 den Staat Israel. Seither gibt es Konflikte mit den Palästinensern, die auch dort leben.

3 Präsident Michail Gorbatschow leitete das Ende des Kalten Krieges ein. Er rüstete ab und öffnete die Sowjetunion der Welt.

4 Sowjetrussland schoss den ersten Satelliten namens „Sputnik" in den Weltraum. Der erste Mensch im All war Jurij Gagarin.

5 Mao Zedong gründete die kommunistische Volksrepublik China. Sein Nachfolger Deng Xiaoping erneuerte die Industrie, die heute eine der größten der Welt ist.

6 In Vietnam kämpften die Amerikaner einen grausamen Krieg gegen Kommunisten aus dem Norden. Sie verloren, und Vietnam wurde kommunistisch.

7 Ohne Gewalt machte Mahatma Gandhi Indien von England unabhängig. Der neue Staat zerfiel in das hinduistische Indien und das islamische Pakistan.

8 Der Geistliche Ayatollah Khomeini stürzte den Schah und errichtete im Iran eine Republik nach den Gesetzen des Islam.

9 Das Erdöl hat die Scheichtümer am Persischen Golf reich gemacht. Erdöl ist ein immer knapper werdender Rohstoff für Benzin und Kunststoffe.

10 Seit der Unabhängigkeit der afrikanischen Staaten gibt es dort viele Kriege. Sie sind eine Folge der europäischen Herrschaft. Viele Menschen flüchten vor der Gewalt nach Europa.

11 Kriege und Dürren führen immer wieder zu schlimmen Hungersnöten in Afrika. Besonders betroffen davon sind die Kinder.

12 Lange Zeit herrschte in Südafrika die Rassentrennung zwischen Schwarzen und Weißen. Nelson Mandela erkämpfte die gleichen Rechte für alle.

13 Der Pfarrer Martin Luther King protestierte gegen die ungerechte Behandlung der Schwarzen in Amerika. Er wurde ermordet.

14 Die Vereinigten Staaten von Amerika haben die meisten und modernsten Waffen der Welt. Das sichert ihre Weltmacht, macht sie aber unbeliebt.

15 Die Erfindung von Personal Computern, die jedermann benutzen kann, veränderte die Arbeit und den Alltag von Menschen weltweit.

16 Fidel Castro stürzte den Diktator Fulgencio Batista und errichtete in Kuba eine kommunistische Herrschaft, die auch eine Diktatur ist.

17 Aus wirtschaftlichen Interessen unterstützten die Amerikaner immer wieder Diktatoren in Südamerika, so den Militärputsch gegen den chilenischen Präsidenten Salvador Allende.

18 Auf riesigen Containerschiffen werden Waren rund um die Welt transportiert.

41

Lösungen

Seite 11 Der Ötzi wurde durch einen Pfeilschuss getötet.

Seite 12 In Giseh stehen neun Pyramiden.

Seite 15 Der Koloss von Rhodos und der Artemis-Tempel in Ephesos. Zu den sieben Weltwundern zählen die hängenden Gärten der Semiramis zu Babylon, das Grab des Königs Mausolos II. zu Halikarnassos, der Leuchtturm auf der Insel Pharos vor Alexandria, die Pyramiden von Giseh in Ägypten, die Zeusstatue des Phidias von Olympia.

Seite 16 Kaiser Trajan wurde in Italica in Spanien geboren.

Seite 18 Die Stadt Suzhou wird wegen ihrer schönen Gärten als „Paradies auf Erden" bezeichnet.

Seite 21 Erik der Rote gründete 985 die erste Wikingersiedlung in Grönland.

Seite 22 Die Kreuzritter wollten Jerusalem zurückerobern.

Seite 25 Kolumbus glaubte, er sei in Indien und nicht in Amerika gelandet.

Seite 27 Er protestierte gegen den Ablasshandel. Allerdings hatte er die 95 Thesen auf Latein verfasst und richtete sie damit vor allem an seine Professorenkollegen.

Seite 28 Sitting Bull und Crazy Horse. Beide wurden später von der Indianerpolizei erschossen, weil sie nicht mit ihren Stämmen in ein Reservat gehen wollten.

Seite 31 Sie trugen die Jakobinermütze und außerdem lange Hosen, die „Sansculottes" hießen. „Sansculottes" bedeutet eigentlich „ohne Hose", weil für die feinen Männer nur Kniebundhosen richtige Hosen waren.

Seite 32 Zwischen den englischen Städten Liverpool und Manchester. Die Strecke wurde 1830 eröffnet.

Seite 35 In Südafrika. Den bislang größten Diamanten der Welt, den Cullinan, entdeckte man 1905. Er wurde in 105 Teile zerlegt. Die größten Stücke sind in der Krone und im Zepter der englischen Könige eingesetzt.

Seite 37 Benito Mussolini und seine Partei der Faschisten. Die Faschisten tragen ihren Namen nach ihrem Symbol, einem Rutenbündel, das auf Latein „fasces" heißt. Sie sind Namensgeber für alle rechtsextremen, „faschistischen" Parteien geworden.

Seite 39 Im Osten von der Sowjetunion, im Westen und aus der Luft von England und Amerika. Deutschland kapitulierte am 8. Mai 1945. Hitler hatte sich vorher umgebracht, weil er zu feige war, die Verantwortung zu übernehmen.

Seite 40 Der Russe Jurij Gagarin. Dafür betraten 1969 die Amerikaner Neil Armstrong und Edwin Aldrin als erste Menschen den Mond und hissten dort die amerikanische Flagge. Der Kalte Krieg wurde auch im Weltraum ausgetragen.

Römische Zahlen von 1 bis 20

I	II	III	IV	V	VI	VII	VIII	IX	X	XI	XII	XIII	XIV	XV	XVI	XVII	XVIII	IXX	XX
1	2	3	4	5	6	7	8	9	10	11	12	13	14	15	16	17	18	19	20

Stichwortverzeichnis

Stichwortverzeichnis